A ORDEM DO DIA

1ª reimpressão

ÉRIC VUILLARD
A ORDEM DO DIA

Tradução
Sandra M. Stroparo

TUSQUETS
EDITORES

Copyright © Editions Actes Sud, Arles, France, 2017
Copyright © Editora Planeta do Brasil, 2019
Todos os direitos reservados.
Título original: *L'ordre du jour*

Preparação: Karina Barbosa dos Santos
Revisão: Maitê Zickuhr e Laura Folgueira
Projeto gráfico: Jussara Fino
Diagramação: Abreu's System
Capa: Adaptada do projeto gráfico original de Compañía
Imagem de capa: ullstein bild Dtl. / Getty Images

Dados Internacionais de Catalogação na Publicação (CIP)
Angélica Ilacqua CRB-8/7057

Vuillard, Éric	
A ordem do dia / Éric Vuillard ; tradução de Sandra M. Stroparo. – Planeta, 2019.	
144 p.	
ISBN: 978-85-422-1691-2	
Título original: L'ordre du jour	
1. Ficção francesa 2. Guerra mundial, 1939-1945 - Ficção 3. Áustria - História - Ficção I. Título II. Stroparo, Sandra M.	
19-1292	CDD 843

Cet ouvrage, publié dans le cadre du Programme d'Aide à la Publication 2018 de l'Institut Français du Brésil, bénéficie du soutien du Ministère de l'Europe et des Affaires étrangères.
Este livro, publicado no âmbito do Programa de Apoio à Publicação 2018 do Instituto Francês do Brasil, contou com o apoio do Ministério Francês da Europa e das Relações Exteriores.

2020
Todos os direitos desta edição reservados à
EDITORA PLANETA DO BRASIL LTDA.
Rua Bela Cintra, 986 – 4º andar
Consolação – 01415-002 – São Paulo-SP
www.planetadelivros.com.br
atendimento@editoraplaneta.com.br

Para Laurent Évrard

Sumário

9   Uma reunião secreta
17   As máscaras
27   Uma visita de cortesia
33   Intimidações
39   A entrevista de Berghof
57   Como não decidir
65   Uma tentativa desesperada
69   Um dia ao telefone
79   Almoço de despedida em Downing Street
91   *Blitzkrieg*
99   Um engarrafamento de *Panzers*
107 Escutas telefônicas
115 A loja de acessórios
121 A melodia da felicidade
127 Os mortos
135 Mas quem são todas essas pessoas?

Uma reunião secreta

O sol é um astro frio. Seu coração, espinhos de gelo. Sua luz, sem perdão. Em fevereiro, as árvores estão mortas, o rio petrificado, como se a nascente não vomitasse mais água e o mar não pudesse engolir mais. O tempo congela. De manhã, nenhum barulho, nenhum canto de pássaro, nada. Depois, um automóvel, outro e de repente passos, silhuetas que não podemos ver. O contrarregra deu três batidas, mas a cortina não se levantou.

Estamos em uma segunda-feira, a cidade se mexe atrás de sua tela de névoa. As pessoas vão para o trabalho como nos outros dias, pegam o bonde, o trem, se enfiam no ônibus, depois devaneiam no frio intenso. Mas o dia 20 de fevereiro deste ano não foi uma data como as outras. Entretanto, a maior parte das pessoas passou a manhã a labutar, mergulhada nesta grande mentira decente do trabalho, com esses pequenos gestos em que se concentra uma verdade muda, conveniente, e nos quais toda a epopeia de nossa existência se resume a uma pantomima diligente. O dia correu assim, pacífico, normal. E, enquanto cada um fazia o trajeto entre a casa e a fábrica, entre o mercado e o pequeno pátio com varais de roupa, depois, à noite, entre o escritório e o bistrô, e enfim voltava para casa, bem longe do trabalho decente, bem longe da vida familiar, na margem do rio Spree, alguns senhores saíam do carro em frente a um palácio. As portas se abriram obsequiosamente, eles desceram de seus grandes sedãs pretos e desfilaram um depois do outro em meio às pesadas colunas de arenito.

Eles eram vinte e quatro, perto das árvores mortas da margem, vinte e quatro sobretudos pretos, marrons ou cor de conhaque, vinte e quatro pares de ombros forrados de lã, vinte e quatro ternos e o mesmo número de calças com pences e com uma barra larga. As sombras penetraram o grande vestíbulo do palácio do presidente da Assembleia; mas logo não haverá mais Assembleia, não haverá mais presidente e, em alguns anos, não haverá nem mesmo um parlamento, somente um monte de escombros fumegantes.

No momento, retiram-se vinte e quatro chapéus de feltro e descobrem-se vinte e quatro cabeças carecas ou com uma coroa de cabelos brancos. Apertam-se mãos dignamente antes de cada um entrar em cena. Os veneráveis patrícios estão lá, no grande vestíbulo; trocam frases engraçadas, respeitáveis; pode-se pensar que se está diante do prelúdio pouco à vontade de uma *garden party*.

As vinte e quatro silhuetas galgaram cuidadosamente um primeiro lance de degraus, depois engoliram um a um os degraus da escada, parando algumas vezes para não sobrecarregar o velho coração e, a mão agarrada ao corrimão de cobre, a escalaram, os olhos semicerrados, sem admirar nem o balaústre elegante nem as abóbodas, como se estivessem sobre uma pilha de invisíveis folhas mortas. Foram guiados, pela pequena entrada, para a direita, e lá, depois de alguns passos sobre o piso que lembrava um tabuleiro de damas, subiram os trinta degraus que levam ao segundo andar. Ignoro quem era o primeiro da corda, e no fundo pouco importa, já que os vinte e quatro tiveram que fazer exatamente a mesma coisa, seguir o mesmo caminho, virar à direita, contornando a escadaria, e enfim, à esquerda, com as portas duplas completamente abertas, eles entraram no salão.

A literatura permite tudo, dizem. Eu poderia então fazê-los dar voltas infinitas na escada de Penrose, nunca mais poderiam descer ou subir, fariam sempre uma coisa e outra ao mesmo tempo. E, na verdade, é um pouco o efeito que os livros causam. O tempo das palavras, compacto ou líquido, impenetrável ou espesso, denso, estendido, granuloso, petrifica os movimentos, medusa. Nossos personagens estão no palácio para sempre, como em um castelo enfeitiçado. Ali estão, atingidos por um raio desde a entrada, petrificados, congelados. As portas estão ao mesmo tempo abertas e fechadas, as janelas sobre as portas estão gastas, arrancadas, destruídas ou repintadas. A escadaria brilha, mas está vazia, o lustre cintila, mas está morto. Estamos simultaneamente em todos os lugares do tempo. Assim, Albert Vögler subiu os degraus até o primeiro patamar e levou a mão ao seu colarinho falso, transpirando, derretendo mesmo, experimentando uma ligeira vertigem. Sob a grande arandela dourada que ilumina os lances de escada, arruma o colete, abre um botão, repuxa seu colarinho falso. Talvez Gustav Krupp também tenha feito uma parada no patamar e dito uma palavra de compaixão para Albert, uma pequena máxima sobre a velhice, tenha, enfim, dado mostras de solidariedade. Depois Gustav retomou seu caminho e Albert Vögler ficou lá alguns instantes, sozinho sob o lustre, grande vegetal folhado a ouro com, no meio, uma enorme bola de luz.

 Enfim, penetraram no pequeno salão. Wolf-Dietrich, secretário particular de Carl von Siemens, demorou-se um momento perto da porta francesa, deixando o olhar parar sobre a fina camada de geada que cobria a sacada. Escapa por um instante das manobras do mundo, entre as bolas de algodão, flanando. E enquanto os outros tagarelam e queimam um charuto Montecristo, discorrendo sobre o creme ou o castanho de sua capa, uns preferindo o sabor adocicado, outros, um gosto picante, todos adeptos de diâmetros enormes, grande calibre, acochando distraídos os anéis dourados com ouro fino, ele, Wolf-Dietrich, sonha acordado em frente à janela, ondula entre os galhos nus e flutua sobre o Spree.

A alguns passos, admirando as delicadas figuras de gesso que ornam o teto, Wilhelm von Opel ergue e abaixa seus grossos óculos redondos. Mais um cuja família avançou sobre nós desde a profundeza dos tempos, desde o pequeno proprietário rural da paróquia de Braubach, devido a promoções e acúmulos de togas e *fasces lictoriae*, pequenas propriedades e encargos, inicialmente magistrados, depois burgomestres, até o instante em que Adam – saído das entranhas indecifráveis de sua mãe, depois assimilando todas as astúcias da serralheria – concebeu uma maravilhosa máquina de costura que foi o verdadeiro começo da influência da família. Ele, entretanto, não inventou nada. Conseguiu se fazer empregar por um fabricante, observou, se fez de bobo, depois melhorou um pouco os modelos. Casou com Sophie Scheller, que lhe trouxe um dote substancial, e deu o nome de sua mulher para a primeira máquina. A produção só aumentou. Bastaram alguns anos para que a máquina de costura alcançasse seu uso, para que ela se juntasse à curva do tempo e se integrasse aos costumes dos homens. Seus verdadeiros inventores tinham chegado cedo demais. Uma vez assegurado o sucesso de suas máquinas de costura, Adam Opel se voltou para o velocípede. Mas certa noite, uma voz estranha deslizou pela porta entreaberta; seu próprio coração lhe pareceu frio, muito frio. Não eram os inventores da máquina de costura que demandavam *royalties*, não eram seus operários que reivindicavam sua parte dos benefícios, era Deus que reclamava sua alma: ele teve que entregá-la.

Mas as empresas não morrem como os homens. São corpos místicos que não perecem jamais. A marca Opel continuou a vender bicicletas, depois automóveis. A firma contava já com mil e quinhentos empregados quando morreu seu fundador. Só crescia. Um empresa é uma pessoa cujo sangue todo sobe à cabeça. São as chamadas pessoas jurídicas. A vida delas dura muito mais que a nossa. Assim, nesse dia 20 de fevereiro, quando Wilhelm medita no pequeno salão do palácio do presidente do Reichstag, a Opel já é uma velha senhora. Hoje ela não passa de um império dentro de um outro império, e tem apenas uma relação distante com as máquinas de costura do velho Adam. E a Opel é uma velha senhora muito rica, mas é tão velha que quase não a percebemos mais e agora faz parte da paisagem. É que atualmente a Opel é bem mais velha que muitos Estados, mais velha que o Líbano, mais velha que a própria Alemanha, mais velha que a maior parte dos Estados da África, mais velha que o Butão, onde os deuses foram, entretanto, perder-se nas nuvens.

As máscaras

Poderíamos nos aproximar assim, um de cada vez, de cada um dos vinte e quatro senhores que entram no palácio, tocar-lhes de leve a abertura do colarinho, o nó deslizante da gravata; poderíamos nos perder por um instante nos bigodes que eles mordiscavam, devanear entre as estampas de tigre de seus casacos, mergulhar em seus olhos tristes e lá, bem no fundo da flor da arnica amarela e urticante, encontraríamos a mesma portinha, puxaríamos o cordão da campainha e voltaríamos mais uma vez ao tempo em que teríamos direito a uma mesma sucessão de manobras, de belos casamentos, de operações duvidosas – a história monótona de seus feitos.

Neste 20 de fevereiro, Wilhelm *von* Opel, o filho de Adam, já limpou definitivamente a graxa sob suas unhas, guardou o velocípede, esqueceu a máquina de costura e carrega um título de nobreza que resume toda a saga da família. Do alto de seus sessenta e dois anos, tosse olhando seu relógio. Lábios apertados, lança um olhar à sua volta. Hjalmar Schacht trabalhou bem – ele logo será nomeado diretor do Reichsbank e ministro da Economia. Em volta da mesa, estão reunidos Gustav Krupp, Albert Vögler, Günther Quandt, Friedrich Flick, Ernst Tengelmann, Fritz Springorum, August Rosterg, Ernst Brandi, Karl Büren, Günther Heubel, Georg von Schnitzler, Hugo Stinnes Jr., Eduard Schulte, Ludwig von Winterfeld, Wolf-Dietrich von Witzleben, Wolfgang Reuter, August Diehn, Erich Fickler, Hans von Loewenstein zu Loewenstein, Ludwig Grauert, Kurt Schmitt, August von Finck e o doutor Stein. Estamos no nirvana da indústria e das finanças. No momento, eles estão silenciosos, pensativos, um pouco aborrecidos por esperar quase vinte minutos; a fumaça de seus charutões irrita seus olhos.

Em um tipo de recolhimento, algumas sombras param em frente a um espelho e arrumam o nó da gravata; acomodam-se no pequeno salão. Em alguma página de um de seus quatro livros sobre arquitetura, Palladio define muito vagamente o salão como uma peça de recepção, palco onde se representam os vaudevilles da nossa existência; e na célebre Villa Godi Malinverni, desde a sala do Olimpo, onde os deuses nus lutam em meio a imitações de ruínas, e a sala de Vênus, onde uma criança e um pajem escapam por uma porta falsa pintada, chega-se no salão central, onde encontramos emoldurado, acima da entrada, o fim de uma oração: "E livrai-nos do mal". Mas no palácio do presidente da Assembleia, onde acontecia nossa pequena recepção, teríamos procurado em vão tal inscrição: não estava na ordem do dia.

Alguns minutos passaram lentamente sob o teto alto. Trocaram sorrisos. Abriram pastas de couro. De vez em quando, Schacht retirava seus óculos finos e coçava o nariz, com a língua entre os lábios. Os convidados se mantinham sabiamente sentados, fixando na porta seus olhinhos de lagostim. Cochichavam entre dois espirros. Um lenço era desdobrado, as narinas trombeteavam em meio ao silêncio, depois eles se recompunham, esperando pacientemente que a reunião começasse. E estavam acostumados com reuniões, todos acumulavam conselhos de administração ou de vigilância, todos eram membros de alguma associação patronal. Sem contar as sinistras reuniões de família desse patriarcado austero e tedioso.

Na primeira fila, Gustav Krupp roça com sua luva o rosto enrubescido, escarra religiosamente em seu lenço, está resfriado. Com a idade, seus lábios finos começam a desenhar uma feia lua crescente de ponta-cabeça. Ele tem um ar triste e inquieto; gira mecanicamente entre seus dedos um belo anel de ouro, através da neblina de seus ânimos e de seus cálculos – e pode ser que, para ele, essas palavras tenham um só significado, como se tivessem sido lentamente imantadas uma à outra.

De repente, as portas rangem, as tábuas do chão rilham; conversam na antessala. Os vinte e quatro lagartos se levantam sobre suas patas traseiras e ficam bem eretos. Hjalmar Schacht engole saliva, Gustav arruma o monóculo. Atrás da porta, ouvem-se vozes abafadas e, depois, um assobio. E enfim, o presidente do Reichstag penetra sorrindo no recinto; é Hermann Goering. E isso, bem longe de nos surpreender, no fundo não passa de um acontecimento bastante banal, rotineiro. No mundo dos negócios, as lutas entre partidos não são nada. Políticos e industriais costumam se frequentar.

    Goering deu então a volta na mesa, com uma palavra para cada um, segurando cada mão com um aperto indulgente. Mas o presidente do Reichstag não veio somente acolhê-los, ele rosna algumas palavras de boas-vindas e logo evoca as próximas eleições de 5 de março. As vinte e quatro esfinges o ouvem atentamente. A campanha eleitoral que se anuncia é determinante, declara o presidente do Reichstag, é preciso acabar com a instabilidade do regime; a atividade econômica exige calma e firmeza. Os vinte e quatro senhores balançam religiosamente a cabeça. As velas elétricas do lustre piscam mais que antes. E, se o partido nazista conseguir a maioria, acrescenta Goering, estas eleições serão as últimas pelos dez anos seguintes; e até mesmo – acrescenta com uma risada – por cem anos.

Um movimento de aprovação percorreu o ambiente. No mesmo momento, houve alguns barulhos de portas e o novo chanceler enfim entrou no salão. Aqueles que nunca o tinham encontrado estavam curiosos para vê-lo. Hitler estava sorridente, descontraído, nada do que imaginavam, afável, sim, até amável, bem mais amável do que teriam acreditado. Houve, para cada um, uma palavra de agradecimento, um aperto de mão vigoroso. Uma vez feitas as apresentações, cada um retomou seu lugar em sua poltrona confortável. Krupp se encontrava na primeira fileira, cutucando com um dedo nervoso seu minúsculo bigode; logo atrás dele, dois dirigentes da IG Farben, mas também von Finck, Quandt e alguns outros cruzaram doutamente as pernas. Houve uma tosse cavernosa, uma tampa de caneta fez um minúsculo clique. Silêncio.

Eles ouviram. O cerne da proposta se resumia a isto: era preciso acabar com um regime fraco, afastar a ameaça comunista, suprimir os sindicatos e permitir que cada patrão fosse um Führer em sua empresa. O discurso durou meia hora. Quando Hitler terminou, Gustav se levantou, deu um passo à frente e, em nome de todos os convidados presentes, agradeceu a ele por ter enfim esclarecido a situação política. O chanceler deu uma rápida volta antes de ir embora. Todos o parabenizaram, mostraram-se corteses. Os velhos industriais pareciam aliviados. Assim que ele se retirou, Goering tomou a palavra, reformulando energicamente algumas ideias, depois evocou de novo as eleições de 5 de março. Seria uma ocasião única de sair do impasse em que se encontravam. Mas para fazer campanha, era preciso dinheiro: ora, o partido nazista não tinha mais um tostão, e a campanha eleitoral se aproximava. Nesse instante, Hjalmar Schacht se levantou, sorriu para a assembleia e proferiu:

— E agora, senhores, ao caixa!

Esse convite, certamente pouco cavalheiresco, não tinha nada de novo para esses homens; eles estavam acostumados com os molha-mãos e as ajudinhas. A corrupção é um item incompreensível no orçamento das grandes empresas, tendo vários nomes: *lobby*, doação, financiamento de partidos. A maioria dos convidados verteu em seguida algumas centenas de milhares de marcos, Gustav Krupp doou um milhão, Georg von Schnitzler doou quatrocentos mil e, assim, recolheram uma soma considerável. Essa reunião de 20 de fevereiro de 1933 – em que se podia ver um momento único da história patronal, um compromisso extraordinário com os nazistas –, para os Krupp, os Opel, os Siemens, não passa de um episódio muito comum da vida dos negócios, uma banal angariação de fundos. Todos sobreviverão ao regime e financiarão no futuro muitos partidos de acordo com a performance.

Mas para melhor compreender a reunião de 20 de fevereiro, para alcançar sua essência, é preciso a partir de agora chamar esses homens pelo nome. Não são mais Günther Quandt, Wilhelm von Opel, Gustav Krupp, August von Finck que estão lá, neste fim de tarde, em 20 de fevereiro de 1933, no palácio do presidente do Reichstag; são outros os nomes que devem ser pronunciados. Porque Günther Quandt é um criptônimo, dissimula algo bem diferente daquele homem gordo que alisa os bigodes e se mantém gentilmente em seu lugar, em volta da mesa de honra. Atrás dele, justo atrás dele, se encontra uma silhueta muito mais imponente, sombra protetora, tão fria e impenetrável quanto uma estátua de pedra. Sim, sobrepondo-se com toda sua força, feroz, anônima, à figura de Quandt e dando-lhe esta rigidez de máscara – mas de uma máscara que colaria em seu rosto melhor que sua própria pele –, adivinha-se sobre ele: Accumulatoren-Fabrik AG, a futura Varta, que conhecemos, já que as pessoas jurídicas têm seus avatares, como as divindades antigas, que tomavam diversas formas e, ao longo do tempo, incorporavam outros deuses.

Esse é, portanto, o autêntico nome de Quandt, seu nome de demiurgo, já que ele, Günther, é apenas um montinho de carne e ossos, como você e eu, e depois dele seus filhos e os filhos de seus filhos se sentarão no trono. Mas o trono, esse permanecerá, quando o montinho de carne e ossos apodrecer na terra. Assim, os vinte e quatro não se chamam nem Schnitzler, nem Witzleben, nem Schmitt, nem Finck, nem Rosterg, nem Heubel, como a certidão de nascimento nos incita a crer. Eles se chamam BASF, Bayer, Agfa, Opel, IG Farben, Siemens, Allianz, Telefunken. É por esses nomes que nós os conhecemos. Nós os conhecemos muito bem. Eles estão lá, no meio de nós, entre nós. São os nossos carros, nossas máquinas de lavar, nossos produtos de entretenimento, nossos rádios-relógios, o seguro da nossa casa, a bateria de nosso relógio de pulso. Eles estão lá, em todos os lugares, sob a forma de coisas. Nosso cotidiano é o deles. Eles cuidam de nós, nos vestem, nos iluminam, nos transportam pelas estradas do mundo, embalam nosso sono. E os vinte e quatro homens presentes no palácio do presidente do Reichstag, neste 20 de fevereiro, não passam de mandatários, o clero da grande indústria; são os sacerdotes do deus Ptá. E se mantêm lá, impassíveis, como vinte e quatro máquinas de calcular nas portas do Inferno.

Uma visita de cortesia

Uma tendência obscura nos entregou ao inimigo, passivos e cheios de medo. Desde então, nossos livros de História repassam o assustador acontecimento em que a fulgurância e a razão teriam estado de acordo. Assim, depois que o alto clero da indústria e das finanças foi convertido e que os oponentes foram então reduzidos ao silêncio, os únicos adversários sérios do regime eram as potências estrangeiras. O tom subiu na mesma medida com a França e a Inglaterra, em uma mistura de ataques e palavras afáveis. E foi assim que, em novembro de 1937, entre duas alterações de humor – após alguns protestos para manter as aparências contra a anexação do Território da Bacia do Sarre, contra a remilitarização da Renânia ou o bombardeio de Guernica pela legião Condor –, Halifax, lorde presidente do Conselho, foi à Alemanha, convidado a título pessoal por Hermann Goering, ministro do Ar, comandante-chefe da Luftwaffe, ministro da Floresta e da Caça do Reich, presidente do defunto Reichstag – o criador da Gestapo. É bastante coisa, no entanto, Halifax não pisca, não lhe parece bizarro esse tipo lírico e truculento, antissemita notório, armado de condecorações. E não podemos dizer que Halifax foi ludibriado por alguém que escondia o jogo, que ele não percebeu as roupas de dândi, os títulos que não acabavam mais, a retórica delirante, tenebrosa, a silhueta pançuda; não. Na época, já estávamos muito longe da reunião de 20 de fevereiro, os nazistas tinham abandonado toda discrição. E então eles caçaram juntos, riram juntos, jantaram juntos; e Hermann Goering, que não economizava demonstrações de ternura e simpatia, ele, que tinha sonhado em ser ator e que, de fato, era um à sua maneira, teve de lhe dar um tapa nas costas, até empurrou um pouco o velho Halifax, e jogou em sua cara alguma lenga-lenga com duplo sentido, daquelas que deixam o destinatário desconcertado, um pouco incomodado, como se por uma alusão sexual.

O grande caçador o teria enrolado em sua echarpe de bruma e poeira? Entretanto, lorde Halifax, exatamente como os vinte e quatro grandes sacerdotes da indústria alemã, devia saber um pouco sobre Goering, devia conhecer algo de sua história, sua vida de golpista, seu gosto pelos uniformes de fantasia, sua morfinomania, sua internação na Suécia, o diagnóstico avassalador de violências, distúrbio mental, depressão, suas tendências suicidas. Ele não podia se apegar ao herói de batismo de ar, ao piloto da Primeira Guerra, ao comerciante de paraquedas, ao velho soldado. Halifax não era ingênuo nem amador e devia estar muito bem informado para não considerar um tanto curioso esse passeio, ao longo do qual ambos são vistos, em um filme curto, admirando o parque de bisões onde Goering, furiosamente descontraído, distribui suas lições de bem-estar. Ele não consegue deixar de perceber a estranha pluminha do chapéu, a gola de pele, o nó engraçado da gravata. Talvez Halifax também goste de caçar, como seu velho pai gostava e, portanto, deve ter se divertido em Schorfheide, mas não pôde deixar de ver o estranho casaco de couro usado por Hermann Goering nem o punhal no cinto, não pôde deixar de ouvir as alusões sinistras revestidas de piadas grosseiras. Talvez ele o tenha visto atirar com o arco, fantasiado de saltimbanco; sem dúvida viu os animais selvagens domesticados, viu o filhotinho de leão lamber o rosto do mestre. E, mesmo se não tiver visto nada disso, mesmo se ele não tiver passado mais de quinze minutos com Goering, ele certamente ouviu falar dos imensos circuitos de trenzinhos para crianças no subsolo de sua casa e, fatalmente, o ouviu cochichar um monte de tolices bizarras. E Halifax, a velha raposa, não poderia ter ignorado seu egocentrismo delirante; talvez até o tenha visto soltar bruscamente o volante de seu conversível e gritar ao vento! Sim, ele não pôde deixar de adivinhar, embaixo da máscara macilenta e intumescida, o interior assustador. E então ele encontrou o Führer; e ali também ele, Halifax, não teria visto nada! Ignorando as proibições do ministro Eden, ele chegou a deixar Hitler ouvir que as pretensões alemãs na Áustria e em uma parte da Tchecoslováquia não pareciam ilegítimas ao governo de Sua Majestade, com a condição de que isso acontecesse em paz e em consenso. Halifax não é rude. Mas uma última anedota dá cor ao personagem. Em frente de Berchtesgaden, onde o deixaram, lorde Halifax percebeu uma silhueta perto do carro, que ele acreditava ser um valete particular. Imaginou que o homem tinha vindo a seu encontro para ajudá-lo a subir os degraus da entrada. Então, enquanto a porta se abria, estendeu seu casaco para o homem. Mas, logo em seguida, von Neurath ou outra pessoa, um valete, talvez, disse em sua orelha com um tom rouco:

— O Führer!

Lorde Halifax levantou os olhos. De fato, era Hitler. Ele o tinha tomado por um lacaio! É que ele não se tinha dado ao trabalho de erguer o nariz, como contou mais tarde em seu livro de memórias, *Fullness of Days*[1]: de início, ele só viu as calças, e bem abaixo, um par de botinas. O tom é irônico, lorde Halifax tenta nos fazer rir. Mas não acho isso engraçado. O aristocrata inglês, o diplomata que se mantém orgulhosamente em pé atrás de sua pequena fila de ancestrais, surdos como trombones, burros como portas, limitados como *fields*, é isso que me deixa petrificado... Não foi o honorabilíssimo visconde Halifax que, enquanto chanceler das Finanças, se opôs com firmeza a qualquer ajuda suplementar para a Irlanda, durante todo o período de sua chancelaria? A fome matou um milhão de pessoas. E o honorabilíssimo segundo visconde, pai de Halifax, aquele que foi *valet de chambre* do rei, colecionador de histórias de fantasmas que, depois de sua morte, um dos seus filhos insignificantes publicou, será mesmo que alguém pode se esconder atrás dele? E, portanto, essa falta de jeito não tem nada de excepcional, não é a gafe de um velho aturdido, é uma cegueira social, a arrogância. Por outro lado, no que diz respeito a ideias, Halifax não é pudico. Assim, sobre seu encontro com Hitler, o que ele escreverá para Baldwin: "O nacionalismo e o racismo são forças poderosas, mas não as considero nem contra a natureza, nem imorais!", e um pouco mais tarde: "Não

---

[1] "Plenitude dos dias." Sem tradução para o português (N. E.).

posso duvidar de que essas pessoas realmente odiassem os comunistas. E asseguro ao senhor que, se estivéssemos em seu lugar, passaríamos pela mesma coisa". Esse foi o prelúdio do que ainda hoje chamamos de *política de apaziguamento*.

Intimidações

Estávamos portanto nas visitas de cortesia. Entretanto, em 5 de novembro, apenas doze dias antes que lorde Halifax viesse falar de paz com os alemães, Hitler tinha confiado aos chefes de seus exércitos como ele pretendia ocupar à força uma parte da Europa. A Áustria e a Tchecoslováquia seriam invadidas primeiro. É que estavam muito apertados na Alemanha e, como jamais chegamos ao fundo de nossos desejos sem que a cabeça se volte sempre para horizontes mais distantes e uma ponta de megalomania somada a transtornos paranoicos torne a subida ainda mais irresistível, depois dos delírios de Herder e do discurso de Fichte, a partir do espírito de um povo celebrado por Hegel e do sonho de Schelling de uma comunhão de corações, a noção de *espaço vital* não era novidade. Claro que esta reunião tinha ficado secreta, mas vê-se um pouco do que deveria ser o ambiente em Berlim, logo antes da vinda de Halifax. E isso não é tudo. Em 8 de novembro, nove dias antes de sua visita, Goebbels tinha inaugurado uma grande exposição de arte em Munique sobre o tema do "Judeu Errante". Esse era o pano de fundo. Ninguém podia ignorar os projetos dos nazistas, suas intenções brutais. O incêndio do Reichstag, em 27 de fevereiro de 1933, a abertura de Dachau, no mesmo ano, a esterilização de doentes mentais, no mesmo ano, a Noite das Facas Longas, no ano seguinte, as leis para salvaguardar o sangue e a honra alemã, o recenseamento das características raciais, em 1935; isso era realmente notável.

Na Áustria, para onde logo se voltaram as ambições do Reich, o chanceler Dollfuss, que – do alto de seu pequeno um metro e cinquenta – tinha se apropriado de todos os poderes, tinha sido assassinado por nazistas austríacos já em 1934. Schuschnigg, seu sucessor, tinha prosseguido em sua política autoritária. A Alemanha tinha então conduzido durante muitos anos uma diplomacia hipócrita, uma mistura de atentados, de chantagem e de sedução. Enfim, três meses depois da visita de Halifax, Hitler subiu o tom. Schuschnigg, o pequeno déspota austríaco, foi convocado à Baviera, era a hora do *diktat*; o tempo das manobras clandestinas tinha acabado.

Em 12 de fevereiro de 1938, Schuschnigg vai então a Berchtesgaden, para um encontro com Adolf Hitler. Ele chega à estação disfarçado de esquiador — o álibi de sua viagem é uma temporada para praticar esportes de inverno. E, enquanto colocam seu equipamento de esqui no trem, a festa em Viena chega a seu ápice. Porque é carnaval: as datas mais felizes se sobrepõem assim aos encontros macabros da História. Fanfarra, quadrilha, festa da cumeeira. Toca-se uma das cento e cinquenta valsas de Strauss, marca de elegância e de charme, sob uma avalanche de doces. O carnaval de Viena é certamente menos conhecido que o de Veneza e o do Rio. Lá não se usam belas máscaras e ninguém se entrega a danças febris. Não. Não é nada além de uma série de bailes. Mas também é uma festa imensa. As instituições do pequeno Estado católico e corporativista organizam folias. Assim, enquanto a Áustria agoniza, seu chanceler, disfarçado de esquiador, se eclipsa à noite para uma viagem improvável, e os austríacos fazem a festa.

De manhã, na estação de Salzburgo, há apenas um cordão de policiais. O tempo está úmido e frio. O carro que conduz

Schuschnigg segue ao lado do campo de aviação e depois pega a estrada nacional; o grande céu cinza o deixa pensativo. Seu devaneio se deixa levar pelas oscilações do automóvel, se mistura aos cristais da geada. Todas as vidas estão miseráveis e solitárias; todos os caminhos estão tristes. A fronteira se aproxima, Schuschnigg é tomado por uma súbita apreensão; ele tem a sensação de estar à beira da verdade; ele olha para a cabeça de seu motorista.

Na fronteira, von Papen veio recebê-lo. Seu rosto comprido e elegante dá segurança ao chanceler. Enquanto ele sobe no carro, von Papen anuncia que três generais alemães assistirão à conferência.

— Espero que o senhor não ache isso inconveniente — diz ele, de maneira negligente. A tentativa de intimidação é grosseira. As manobras mais brutais nos deixam sem palavras. Ninguém ousa dizer nada. Um ser muito educado, muito tímido, bem no fundo de nós, responde em nosso lugar, diz o contrário do que seria preciso dizer.

Assim, Schuschnigg não protesta e o carro retoma seu caminho, como se não fosse nada. Enquanto seu olhar morto roda pelo acostamento, um caminhão militar os acompanha, seguido por dois carros blindados da SS. O chanceler austríaco sente uma angústia surda. O que é que ele veio fazer nesse vespeiro? Lentamente, começam a subir para Berchtesgaden.

Schuschnigg olha fixamente para o topo dos pinheiros, esforçando-se para conter o mal-estar. Ele se cala. Von Papen também não diz uma palavra. E então o carro chega em Berghof, o portão se abre e se fecha. Schuschnigg tem a sensação de ter caído em uma armadilha terrível.

A entrevista de Berghof

Por volta das onze horas da manhã, depois de alguns floreios de polidez, as portas do escritório de Adolf Hitler se fecharam atrás do chanceler da Áustria. É então que acontece uma das cenas mais fantásticas e grotescas de todos os tempos. Temos apenas um testemunho. O de Kurt von Schuschnigg.

É no capítulo mais doloroso de suas memórias, *Ein Requiem in Rot-Weiß-Rot*,[2] que, depois de uma epígrafe um pouco pedante de Tasse, sua pequena história começa em uma das janelas de Berghof. O chanceler da Áustria acaba de sentar a convite do Führer, cruza e descruza as pernas, um

---

2 De 1946, "Réquiem em vermelho-branco-vermelho" (as cores da bandeira da Áustria). Não traduzido no Brasil (N. T.).

pouco desconfortável. Sente-se meio entorpecido, sem forças. A angústia de antes está lá, suspensa nos caixotões do teto, escondida sob as poltronas. Sem saber muito o que dizer, Schuschnigg vira a cabeça e admira a vista; depois evoca, entusiasmado, os encontros decisivos que devem ter acontecido naquele escritório. Logo Hitler retruca:

— Não estamos aqui para falar da vista nem do tempo que está fazendo!

Schuschnigg fica paralisado; tenta, então, com um discurso empolado e desajeitado, sair daquela situação, evocando o pobre acordo austro-alemão de julho de 1936, como se tivesse vindo somente para esclarecer pequenas dificuldades passageiras. Enfim, em um impulso desesperado, agarrando-se a sua boa-fé como a uma pobre boia salva-vidas, o chanceler austríaco declara ter conduzido, nos últimos anos, uma política alemã, francamente alemã! Era isso que Adolf Hitler esperava.

— Ah! O senhor chama isso de política alemã, senhor Schuschnigg? Ao contrário, o senhor fez tudo para evitar uma política alemã! — ele grita.

E, depois de uma justificativa desajeitada de Schuschnigg, Hitler, fora de si, sobe o tom:

— Aliás, a Áustria nunca fez nada que tenha servido ao Reich. Sua história é uma sequência ininterrupta de traições.

As mãos de Schuschnigg ficam imediatamente úmidas; e o cômodo lhe parece tão grande! Entretanto, tudo está calmo. As poltronas são revestidas de uma tapeçaria comum, as almofadas são muito moles, os trabalhos de marcenaria, regulares, os abajures, enfeitados com pequenos pompons. De repente, Schuschnigg está sozinho no gramado frio, sob o grande céu de inverno, de frente para as montanhas. A janela fica imensa. Hitler o observa com seus olhos pálidos. Schuschnigg cruza de novo as pernas e arruma os óculos.

Por enquanto, Hitler o chama de "senhor", e Schuschnigg, imperturbável, continua a chamá-lo de "chanceler"; Hitler o mandou passear, e Schuschnigg, para se justificar, se vangloriou por conduzir uma política alemã; agora o chanceler alemão insulta a Áustria, chegando até a gritar que sua contribuição para a história alemã é igual a zero, e Schuschnigg, tolerante, magnânimo, em vez de dar meia-volta e parar por ali, procura desesperadamente em sua memória, como um bom aluno, um exemplo da famosa contribuição austríaca para a História. A toda velocidade, na maior consternação, procura nos bolsos dos séculos. Mas sua memória está vazia, o mundo está vazio, a Áustria está vazia. E os olhos do Führer o encaram obstinadamente. Então, o que ele encontra, pressionado por seu desespero? Beethoven. Ele encontra o bom

Ludwig van Beethoven, o surdo irascível, o republicano, o solitário desesperado. É Beethoven que ele tira de seu repouso, o filho do alcoólatra, o *moreno*; é ele que Kurt von Schuschnigg – o chanceler da Áustria, o pequeno aristocrata racista e timorato – tira do bolso da História e agita de repente como uma bandeira branca no rosto de Hitler. Pobre Schuschnigg. Vai buscar um músico contra o delírio, vai procurar a "Nona sinfonia" contra a ameaça de uma agressão militar, vai procurar as três notinhas da *Appassionata*, para demonstrar que a Áustria representou bem seu papel na História.

— Beethoven não é austríaco — retrucou Hitler, em um inesperado tom de zombaria. — Ele é alemão.

E é verdade. Schuschnigg não tinha nem mesmo pensado. Beethoven é alemão, é indiscutível. Nasceu em Bonn. E Bonn, de qualquer maneira que pensemos, mesmo se puxarmos discretamente o tapete, mesmo se fuçarmos em todos os anais da História, Bonn jamais foi uma cidade austríaca, absolutamente jamais. Bonn está tão longe da Áustria quanto Paris! É quase o mesmo que dizer que Beethoven é romeno, até ucraniano. Ou – por que não? – croata, já que começamos, ou marselhês, já que, no fim das contas, Marselha não está tão longe de Viena.

— É verdade — balbuciou Schuschnigg —, mas ele é austríaco por adoção.

A situação está decididamente longe de uma reunião entre chefes de Estado.

O momento era desagradável. A entrevista acabou. Eles tiveram de almoçar juntos. Desceram a escada lado a lado. Antes de entrar na sala de jantar de Berghof, Schuschnigg se espanta com um retrato de Bismarck: a pálpebra esquerda do grande chanceler inexoravelmente caída sobre o olho, o olhar é frio, desiludido; a pele parece flácida. Entraram na sala, sentaram-se; Hitler no meio da mesa, o chanceler da Áustria de frente para ele. A refeição correu normalmente. Hitler parecia relaxado, estava até falante. Em um impulso pueril, contou que em Hamburgo ele iria construir *a maior ponte do mundo*. Depois acrescentou, sem dúvida incapaz de se conter, que logo construiria *os mais altos prédios*, e que os americanos veriam então que na Alemanha se constrói mais alto e melhor que nos Estados Unidos. Depois disso, passaram para a sala. O café foi servido por jovens da SS. Enfim, Hitler se retirou, e o chanceler da Áustria logo começou a fumar como uma chaminé.

As fotografias que temos de Schuschnigg nos mostram duas expressões: uma contrariada, austera, e outra mais tímida, recolhida, quase sonhadora. Em uma foto célebre, ele está com os lábios apertados, uma expressão confusa, tendo no corpo um tipo de abandono, de queda. Foi em 1934, no seu apartamento em Genebra, que essa fotografia foi tirada. Schuschnigg está em pé, talvez inquieto. Nos seus traços há algo de fraqueza, de indecisão. Podemos supor que ele segura uma folha de papel na mão, mas a imagem está borrada e uma mancha escura devora a parte de baixo da foto. Quando olhamos atentamente, percebemos que o avesso de um bolso de seu casaco está repuxado por seu braço, e então percebemos um objeto estranho, talvez uma planta, que à direita se intromete no quadro. Mas essa fotografia, tal como acabo de descrevê-la, ninguém a conhece. É preciso ir à Bibliothèque Nationale de France, no departamento de gravuras e de fotografia, para vê-la. A que nós conhecemos foi cortada, reenquadrada. Assim, exceto alguns arquivistas encarregados de classificar e conservar os documentos, ninguém jamais viu o avesso mal fechado do bolso de Schuschnigg nem o estranho objeto – uma planta ou sei lá o quê – à direita da foto, nem a folha de papel. Depois de reenquadrada, a fotografia dá uma impressão totalmente diferente. Ela mantém um tipo de significação oficial, de decência. Bastou suprimir alguns milímetros insignificantes, um pedacinho de verdade, para que o chanceler da Áustria parecesse mais sério, menos desconcertado que na foto original; como se o fato de ter estreitado um pouco o campo, apagado alguns elementos desordenados, centrando a atenção sobre ele, conferisse a

Schuschnigg um pouco de densidade. A arte de narrar é tal que nada é inocente.

Mas neste momento, em Berghof, não seria questão de densidade nem de decência. Aqui, só há um enquadramento que vale, só há uma arte de convencimento que vale, só há uma única maneira de obter o que se deseja – o medo. Sim, aqui, é o medo que reina. Terminadas as cortesias alusivas, as formas contidas de autoridade, as aparências. Aqui, o pequeno *Junker*[3] treme. De início, ele não se conforma com o fato de que falaram assim com ele, Schuschnigg. Aliás, algum tempo depois ele confessará a um de seus homens que se sentiu injuriado. E, entretanto, ele não vai embora, não manifesta nenhum descontentamento: ele fuma. Fuma um cigarro depois do outro.

Duas longas horas se passaram. Então, por volta das dezesseis horas, Schuschnigg e seu conselheiro são convidados a se juntar a Ribbentrop e a von Papen em uma sala contígua. Alguns artigos de um novo acordo entre os dois países são apresentados, com a informação precisa de que são as últimas concessões possíveis do Führer. Mas o que esse acordo exige? Para começar, exige – em uma fórmula vazia e sem grande peso – que a Áustria e o Reich se consultem sobre

---

[3] Alemão, significando "jovem senhor". Originalmente, aristocrata prussiano, sem título, proprietário de terras (N. T.).

questões internacionais que interessem as duas partes. Exige
– e é aí que as coisas se complicam – que as ideias nacional-
-socialistas sejam autorizadas na Áustria e que Seyss-Inquart,
um nazista, seja nomeado ministro do Interior, com plenos
poderes – ingerência prodigiosa. Exige ainda que o doutor
Fischböck, um nazista notório, seja também nomeado para
o governo. Exige em seguida a anistia de todos os nazistas
aprisionados na Áustria, inclusive os criminosos. Exige que
todos os funcionários e oficiais nacional-socialistas sejam
reintegrados em seus direitos anteriores. Exige a troca ime-
diata de uma centena de oficiais entre os dois exércitos e a no-
meação do nazista Glaise-Horstenau como ministro austríaco
da Guerra. Enfim, exige – última afronta – a exoneração dos
diretores de propaganda austríacos. Essas medidas deverão
ser efetivadas em oito dias e, em troca – sublime concessão
–, "a Alemanha reafirma a independência da Áustria e sua
adesão à convenção de julho de 1936", que acaba de ter seu
conteúdo esvaziado. E então, para terminar, fórmula estranha depois do que se acabou de ler: "A Alemanha renuncia a
toda intervenção na política interior da Áustria". Parece que
estamos sonhando.

    A discussão então começa, e Schuschnigg tenta atenuar
as exigências alemãs; mas, antes de tudo, ele quer salvar a
própria pele. Alteram-se alguns detalhes. Parecem sapos em

volta de um lago, revezando entre si o uso do mesmo olho e do mesmo dente. Enfim, Ribbentrop aceita mudar três artigos, introduzindo, depois de laboriosas tratativas, mudanças sem importância. De repente, a discussão é interrompida: Hitler manda chamar Schuschnigg.

O escritório está inundado pela luz das luminárias. Hitler o percorre com passos largos. O chanceler austríaco experimenta, de novo, um sentimento incômodo. E logo que ele senta, Hitler o ataca, anunciando que consente em uma última tentativa de negociação.

— Aí está o projeto, não haverá negociação — diz ele. — Eu não mudarei uma vírgula! Ou o senhor assina, ou não há como prosseguirmos nossas discussões. Tomarei minha decisão à noite. — O Führer está com seu aspecto mais grave e mais sinistro.

Agora, o chanceler Schuschnigg está frente a seu momento de desonra ou de graça. Será que ele vai ceder a essa maquinação medíocre e aceitar o ultimato? O corpo é um instrumento de prazer. O corpo de Hitler se agita descontroladamente. Está rígido como um autômato e virulento como um escarro. O corpo de Hitler deve ter penetrado os sonhos e as consciências; acreditamos tê-lo reencontrado nas sombras dos tempos, sobre os muros das prisões, rastejando sob o estrado das camas, em todos os lugares em que os homens gravaram as silhuetas que os assombram. Assim, talvez, no momento em que Hitler lança sobre Schuschnigg seu ultimato, no momento em que a sorte do mundo, por meio das coordenadas caprichosas do tempo e do espaço, se encontra por um instante, um só instante, nas mãos de Kurt von Schuschnigg, a algumas centenas de quilômetros de lá, em seu asilo em Ballaigues, Louis Soutter talvez estivesse desenhando com os dedos em um guardanapo de papel uma de suas danças obscuras. Marionetes horríveis e terríveis se agitam no horizonte do mundo, onde se desloca um sol negro. Elas correm e fogem em todas as direções, surgindo da bruma, esqueletos, fantasmas. Pobre Soutter. Ele já tinha passado mais de quinze anos em seu asilo, quinze anos pintando suas angústias sobre péssimos retalhos de papel, envelopes usados, roubados do lixo. E, neste instante em que o destino da Europa está em jogo em Berghof, seus pequenos personagens obscuros, torcendo-se como fios de ferro, me parecem um presságio.

Soutter tinha voltado de um longo período longe de casa, muito longe, no estrangeiro, do outro lado do mundo, em um estado de decrepitude inquietante. Depois disso, viveu de trabalhos temporários. Músico em chás dançantes durante a estação turística, uma reputação de loucura tinha começado a persegui-lo em todos os lugares aonde ia. Em seu rosto se imprimiu uma melancolia profunda. E ele foi internado no asilo de Ballaigues. De tempos em tempos, escapulia; levavam-no de volta para lá, descarnado, quase morto de frio. No alto, em seu quarto, ele empilhava desenhos sobre desenhos, uma pilha monstruosa de esboços representando seres negros, disformes, grandes inválidos palpitantes. Seu próprio corpo estava muito magro, cansado das longas caminhadas no campo. Suas bochechas estavam esvaziadas, cavernosas; ele não tinha mais dentes. Enfim, não conseguindo mais segurar pincel ou pluma para desenhar, por causa da artrose que deformava suas mãos, quase cego, ele se pôs a pintar com os dedos, mergulhando-os na tinta, isso em torno de 1937. Tinha quase setenta anos. Foi então que fez suas mais belas obras; se pôs a pintar coortes de silhuetas negras, agitadas, frenéticas. Parecem espirros de sangue. Voos de gafanhotos. E essa agitação obsessiva vivia no espírito de Louis Soutter, uma forma de assombração que o aterrorizava. Mas, se consideramos o que se passava na Europa, ao seu redor, durante esses longos anos de reclusão em Ballaigues, no Jura, pode-se pensar que essa longa corrente de corpos negros, torcidos, sofredores e gesticulantes, que esses colares de cadáveres auguram alguma coisa. Diriam que o pobre Soutter, trancafiado em seu delírio, talvez sem saber disso, filma com os dedos a lenta agonia do mundo que o cerca. Diriam que o velho Soutter faz o mundo inteiro desfilar, os espectros do mundo inteiro desfilando atrás de um pobre carro fúnebre. Tudo se transforma em chamas e em uma fumaça espessa. Ele mergulha os dedos torcidos no potinho de tinta e nos entrega a verdade morta de seu tempo. Uma grande dança macabra.

Em Berghof estávamos bem longe de Louis Soutter, bem longe de sua timidez estranha, bem longe do refeitório de Ballaigues. Conduzia-se ali uma tarefa mais baixa. No minuto em que Louis Soutter talvez estivesse mergulhando seus dedos contusos em seu pote de tinta preta, Schuschnigg olhava fixamente para Hitler. Mais tarde, ele escreverá, em seu livro de memórias, que Hitler exercia uma influência mágica. E acrescentará: "O Führer atraía os outros para si com uma força magnética, depois os expulsava com uma tal violência que se abria então um abismo que nada podia preencher". Vê-se que esse Schuschnigg não poupa explicações esotéricas. Isso justifica suas fraquezas. O chanceler do Reich é um ser sobrenatural, aquele que a propaganda de Goebbels queria nos mostrar, criatura quimérica, assustadora, inspirada.

* * *

E, finalmente, Schuschnigg cedeu. Fez até pior. Balbuciou. Depois, declarou que estava pronto para assinar, mas emitiu uma objeção, a mais tímida e mais apática de todas, a mais covarde também:

— Eu gostaria apenas que os senhores entendessem — acrescentou em uma perceptível mistura de malícia e fraqueza, que deve tê-lo deixado irreconhecível — que esta assinatura não serve de nada.

Nesse instante, ele deve ter saboreado a surpresa de Hitler. Deve ter saboreado a única pequena fagulha de superioridade sobre Adolf Hitler que ele pôde extorquir do destino. Sim, deve ter gostado, também, mas de outra maneira, talvez como um caracol desfruta de seus cornos moles. Sim, ele deve ter gostado. O silêncio depois de sua réplica durou uma eternidade. Schuschnigg experimentou sua parte invencível, minúscula. E se contorceu em seu assento.

Hitler tinha um olhar desnorteado. O que é que ele estava dizendo?

— Segundo nossa Constituição — encareceu então Schuschnigg, com um tom doutoral —, é a mais alta autoridade do Estado, quer dizer, o presidente da República, quem nomeia os membros do governo. A anistia, da mesma maneira, é prerrogativa dele.

Então era isso, ele não se contentava com ceder a Hitler, precisava ainda se entrincheirar atrás de um outro. Ele, o pequeno autocrata, eis que de repente, no momento em que seu poder era envenenado, aceitava dividi-lo.

Mas o mais estranho foi a reação de Hitler. Por sua vez, ele balbuciou, como se não compreendesse bem o que se passava:

— Então o senhor tem o direito...

As objeções de direito constitucional o ultrapassavam. E ele, que, para servir sua propaganda, queria conservar as aparências, deve ter se sentido bruscamente desorientado. O direito constitucional é como a matemática, não se pode trapacear. Ele balbuciou novamente:

— O senhor deve... — E Schuschnigg deve ter então realmente gostado de sua vitória; enfim, ele o pegou! Com seu direito, ele o pegou, com seus estudos de direito, com seu diploma! É isso, o brilhante advogado pegou o pequeno agitador ignorante. Sim, o direito constitucional existe, e não é para os cupins nem para os camundongos, não; é para os chanceleres, os verdadeiros homens de Estado, porque uma norma constitucional, senhor, lhe barra o caminho com tanta força quanto um tronco de árvore ou uma barreira policial!

Foi então que Hitler, em um estado de excitação extrema, abriu brutalmente a porta de seu escritório e berrou no vestíbulo:

— General Keitel! — Depois, virando-se para Schuschnigg, disse com violência: — Eu o chamarei mais tarde.

Schuschnigg saiu, e a porta se fechou.

No julgamento de Nuremberg, o general Keitel narrou a cena que se seguiu a isso. Ele foi a única testemunha. Quando o general entrou em seu escritório, Hitler simplesmente pediu-lhe que se sentasse e se sentou também. Atrás das misteriosas portas de madeira, o Führer declarou que não tinha nada particular para lhe dizer, depois ficou um tempo imóvel e mudo. Ninguém se mexia mais. Hitler estava absorto em seus pensamentos e Keitel se mantinha sentado, a seu lado, sem dizer nada. É que o chanceler via em Keitel um peão, um simples peão, nada mais, e o utilizava assim. É por isso que, tão curioso quanto possa parecer, no decorrer dos longos minutos que durou essa consulta, nada aconteceu, estritamente nada. Ao menos foi isso o que disse Keitel.

Durante esse tempo, Schuschnigg e seu conselheiro temem o pior. Consideram até mesmo a possibilidade de prisão. Quarenta e cinco minutos se passam... Com Ribbentrop e von Papen, eles continuam a discutir, mecanicamente, as cláusulas do acordo; não se sabe para que, já que Hitler declarou que não mudaria uma vírgula. Deve ser um meio para Schuschnigg se garantir; é preciso, a qualquer preço, que a situação tenha o ar mais normal do mundo. Ele continua então a agir como se aquilo fosse uma verdadeira conferência entre chefes de Estado, como se ele ainda fosse o representante de um país soberano. Mas na realidade ele apenas evita dar para sua situação deplorável um ar oficial que a tornaria irremediável.

Enfim, Hitler mandou chamar Kurt von Schuschnigg. E então, mistério da arte de agradar, onde se sopra o calor depois do frio, onde a tonalidade muda de um ato a outro, os espinhos subitamente desapareceram.

— Eu decidi, pela primeira vez em minha vida, voltar atrás em uma decisão — lança Adolf Hitler, como se concedesse um imenso privilégio. Nesse instante, talvez, Hitler tenha sorrido.

Quando os gângsteres ou os loucos furiosos sorriem, é difícil resistir a eles; queremos acabar o mais rápido possível com a fonte de sua infelicidade, queremos a paz. E depois, entre dois episódios de torturas morais, um sorriso tem sem dúvida um encanto particular, como um céu azul em meio à chuva.

— Apenas, e eu repito — acrescentou Hitler, de repente misturando a gravidade com a confidência —, é a ultimíssima tentativa. Eu espero a execução deste acordo daqui a três dias.

E então, após nada ter mudado, após nem mesmo as modificações de detalhes obtidas serem levadas em conta e após o prazo de expiração do ultimato ser, sem justificativa, encurtado em cinco dias, Schuschnigg aceita sem reagir. No fim das forças, como se tivesse conseguido uma concessão, ele se sujeita a um acordo mais calamitoso que o primeiro.

Assim que os documentos foram para a secretaria, a conversa prosseguiu amavelmente. Hitler chamava agora Schuschnigg de "senhor chanceler", o que era lisonjeiro. Enfim, assinaram-se os exemplares datilografados, e o chanceler do Reich propôs a Schuschnigg e a seu conselheiro que ficassem para jantar. Eles declinaram educadamente do convite.

Como não decidir

Durante os dias que se seguiram, o Exército alemão iniciou manobras de intimidação. Hitler tinha pedido que seus melhores generais simulassem preparativos de uma invasão. Isso que é algo extraordinário, certamente já conhecemos todo tipo de artimanha, ao longo da história militar, mas essa é de outra natureza. Não se trata de um desdobramento da estratégia ou da tática; não, ninguém está em guerra ainda. É uma simples manobra psicológica, uma ameaça. É surpreendente imaginar os generais alemães se prestarem a uma ofensiva teatral. Devem ter feito rufar os tambores, zunir as hélices, e depois, zombeteiros, mandado caminhões vazios rodarem perto da fronteira.

Em Viena, no escritório do presidente Miklas, o medo aumenta. As manobras fazem seu efeito. O governo austríaco imagina que os alemães se preparam muito bem para invadi--los. Imagina-se então todo tipo de loucuras. Crê-se poder apaziguar Hitler doando-lhe sua cidade natal, Braunau am Inn, com seus dez mil habitantes, sua fonte dos Pescadores, seu hospital, suas cervejarias. Sim, que lhe deem sua cidade natal, com suas alegres impostas em forma de concha. Que lhe deem um pedaço de suas lembranças e que ele nos deixe em paz! Schuschnigg não sabe mais o que inventar para conservar seu pequeno trono. Acreditando na iminência da agressão alemã, suplica para que Miklas aceite o acordo e nomeie Seyss--Inquart ministro do Interior. Seyss-Inquart não é um monstro, Schuschnigg assegura, é um nazista moderado, um verdadeiro patriota. E também, depois de tudo, ficariam entre pessoas de boa família, porque Seyss-Inquart, o nazista, e Schuschnigg, o pequeno ditador que Hitler tiraniza, são quase amigos. Ambos estudaram direito, folhearam as *Institutas* de Justiniano, redigiram, um, uma pequena nota erudita sobre os bens devolutos, misterioso objeto jurídico herdado dos romanos, e o outro, uma comunicação memorável sobre não sei que ponto contestado de direito canônico. E eles também amam a música, loucamente. São admiradores de Bruckner e, juntos, às vezes evocam sua linguagem musical, nos escritórios da chancelaria, lá onde aconteceu o congresso de Viena, ao longo dos corredores onde Talleyrand treinou seus borzeguins pontudos e sua língua de víbora. Schuschnigg e Seyss-Inquart falam de Bruckner à sombra de Metternich, este outro especialista da paz; falam da vida de Anton Bruckner, de sua vida de piedade e modéstia. Com essas palavras, os óculos de Schuschnigg embaçam, sua voz fica rouca. Ele pensa talvez em sua primeira esposa, no terrível acidente de automóvel, nos anos de remorsos e tristezas. Seyss-Inquart tira seus pequenos óculos ovais e rumina longas frases caminhando junto às janelas do hall. Cochicha, com certa emoção, que Bruckner – o infeliz – foi internado, durante três meses; Schuschnigg baixa então a cabeça; e Seyss-Inquart, sonhador, com não sei qual veia pulsando na testa, menciona que Anton Bruckner, durante seus longos, muito longos e monótonos passeios, contava as folhas das árvores e, em um tipo de cólera secreta e estéril, passava de uma árvore a outra e via com angústia crescer o número que o atormentava. Mas ele enumerava também os paralelepípedos, as janelas dos imóveis e, quando conversava com uma mulher, não podia se impedir de contar rapidamente as pérolas de seu colar. Contava os pelos de seu cachorro, os cabelos dos passantes, as nuvens no céu. Esses sintomas eram qualificados de nevrose obsessiva; era um tipo de fogo que o consumia. Assim, acrescenta Seyss-Inquart, olhando fixamente para os lustres do grande hall, Bruckner separa seus temas musicais por escárnios de silêncio. E parecia mesmo que suas sinfonias derivavam de um agenciamento sábio, uma sucessão regular de temas. Ali se encontram, murmura Seyss-Inquart deixando deslizar sua mão no corrimão da grande escadaria, particularidades de encadeamento que obedecem a um embasamento lógico tão firme, tão implacável, que foi quase impossível para ele terminar sua "Nona sinfonia". Ele teve que abandonar seu último movimento durante dois anos; e seu trabalho incessante de correção às vezes deixava para trás até dezessete versões de uma mesma passagem.

Schuschnigg devia estar fascinado por esse delirante sistema feito de hesitações e de arrependimentos. Talvez seja por isso que Seyss-Inquart e ele amavam acima de tudo conversar – como um testemunho nos revela – sobre a "Nona sinfonia" de Bruckner, com seus metais grandiosos, seu silêncio amedrontador, em seguida o sopro do clarinete, e este momento em que os violinos, lentamente, escarram suas pequenas estrelas de sangue. Em seguida, eles evocavam com frequência Furtwängler, sua testa muito alta, seu ar muito suave de músico, e este pequeno bastão que ele segura como um graveto. E, enfim, eles chegam a Nikisch; e, por meio de Arthur Nikisch, que tocou Beethoven sob a regência de Richard Wagner, a partir da marcação muito simples de Arthur Nikisch, mas capaz de desenvolver na orquestra os mais ricos sons, como se ele fosse, com um gesto minúsculo e soberano, liberar as próprias entranhas da obra dos caracteres de tinta da partitura, a partir de Nikisch, que foi regido por Liszt, que teve como um dos mestres Salieri, a providência o estendia a Beethoven, Mozart e, no final de seu delírio, eles adivinhavam Haydn, tocando assim na mais fria miséria. Porque Haydn, muito antes de ser o inesgotável compositor de óperas, sinfonias, missas, oratórios, concertos, marchas e danças que conhecemos, foi um pobre filho de um construtor de carroças e uma cozinheira, um miserável vagabundo nas calçadas de Viena, alguém cujos serviços eram contratados ocasionalmente para enterros e casamentos. Mas essa miséria não é da alçada de Schuschnigg e de Seyss-Inquart, não, eles preferem seguir um outro ramo e percorrer, com Liszt, os salões da bela Europa.

Entretanto, para Seyss-Inquart, o passeio terminará de forma muito pior que para Schuschnigg e, depois de ter tido um posto em Cracóvia e em Haia, ele acabará seu percurso desprezível de comparsa em Nuremberg. E lá, claro, ele negará tudo. Ele, que será um dos principais atores da incorporação da Áustria ao Terceiro Reich, não fez nada; ele, que receberá o título honorário SS de *Gruppenführer*,[4] não viu nada; ele, que

---

4 Alemão, "chefe de grupo" (N. T.).

será ministro sem pasta no governo de Hitler, não ouviu nada; ele, que será representante do governador geral da Polônia, implicado na brutal pacificação do movimento de resistência polonesa, não ordenou nada; ele, que será enfim comissário do Reich nos Países Baixos, e fará executar, segundo a acusação em Nuremberg, mais de quatro mil pessoas, antissemita sincero, tendo erradicado os judeus de todos os postos de responsabilidade, que não é estranho às medidas que levarão à morte de cerca de cem mil judeus holandeses, ele não sabia de nada. E, enquanto as trombetas soam – mas para ele, desta vez –, ele retoma suas maneiras de advogado, pleiteia, invoca um documento, outro, folheia, consciencioso, maços de provas.

Em 16 de outubro de 1946, com cinquenta e quatro anos, ele, o filho do diretor de escola Emil Zajtich, que abandonou esse nome por um patronímico mais alemão, ele, que passou sua infância em Stannern, na Morávia, e tinha se mudado para Viena com a idade de nove anos, está em pé sobre o vazio, em Nuremberg. E lá, sobre o patíbulo, depois de semanas passadas na cela, observado noite e dia, sob a luz de uma lanterna ofuscante como um sol de gelo, depois de ter sido, durante a noite, informado de sua última hora, tendo descido os poucos degraus para o pátio, avançado com um passo incerto, em fila, entre soldados e, depois de ter subido no patíbulo por último, depois de mortos os nove outros condenados, aí está ele, por sua vez, seguindo a condutora, tropeçando. Na barraca em que o patíbulo está erguido, e que parece um hangar mal feito, Ribbentrop foi o primeiro. Não mais altivo, como sempre foi, não mais inflexível, como durante as negociações do Berghof, mas abatido pela aproximação da morte. Um velho claudicante.

Então foram os outros oito, até a vez dele, Arthur Seyss-Inquart. Ele dá um passo em direção ao carrasco. É John C. Woods quem será sua última testemunha. E sob os projetores, Seyss-Inquart, como uma borboleta cega, percebe de repente o grande rosto de Woods. Um relatório médico informa, em um jargão contraditório e artificial, que Woods era um pouco deficiente – mas quem suportaria, não fosse ele, cumprir tal tarefa? Outros testemunhos falam de um pobre sujeito, alcoólatra e falador. Conta-se também que, no final de sua carreira de carrasco, depois de quinze anos de leais serviços, ele se vangloriava, tendo engolido sua dezena de uísques, de ter executado por enforcamento trezentos e quarenta e sete condenados, cifra contestada. Em todo caso, nesse dia de outubro, ele já tinha enforcado muita gente desde seu começo modesto; e uma fotografia nos mostra um outro dia de 1946, quando ele, com a assistência de Johann Reichhart, este também homem de saco e de corda, procedeu à execução de uns trinta condenados; o lado esquerdo para Woods, o direito para Reichhart, que, no que lhe dizia respeito, já tinha executado milhares de pessoas durante o Terceiro Reich e que os americanos, pelo bem da causa, tinham recrutado. É portanto aquele rosto, enrubescido, bojudo, porque no final das contas a morte nos oferece de acordo com o que ela dispõe, que formou para Seyss-Inquart a imagem da ceifadora.

Então, Seyss-Inquart procura suas palavras; mas onde elas estão? Terminadas as palavras sem nexo de salão, as ordens, os argumentos de tribunal, sobra apenas uma frase. Uma frase insignificante. Palavras tão pobres que enxerga-se a luz através delas e que terminam em uma fórmula estranha: "Eu acredito na Alemanha". E Woods lhe coloca enfim um capuz sobre a cabeça e enfia um nó corrediço, antes de acionar o alçapão. E Seyss-Inquart – no meio de um mundo em ruína – desaparece brutalmente no buraco.

Uma tentativa desesperada

Mas estamos ainda apenas em 16 de fevereiro de 1938. Algumas horas antes da expiração do ultimato, Miklas, recluso em seu palácio presidencial, por sua vez, cede. Os assassinos de Dollfuss são anistiados, Seyss-Inquart é nomeado ministro do Interior e os SA[5] desfilam nas ruas de Linz com grandes bandeiras. No papel, a Áustria está morta; caiu sob a tutela alemã. Mas, como se vê, nada aqui tem a densidade do pesadelo, nem o esplendor do medo. Somente o aspecto pegajoso das combinações e da impostura. Sem altivez violenta nem

---

5 A *Sturmabteilung* (SA), era uma organização paramilitar do Partido Nacional-Socialista dos trabalhadores alemães. Dela, se originou a SS (N. T.).

falas terríveis e desumanas, nada além da ameaça, brutal, da propaganda, repetitiva e vulgar.

Entretanto, alguns dias mais tarde, acontece que Schuschnigg fica bruscamente nervoso; esse acordo forçado ficou atravessado em sua garganta. Em um último sobressalto, declara ao Parlamento que a Áustria continuará independente e que as concessões não irão mais longe. A situação se degrada. Membros do partido nazista vão às ruas e semeiam o terror. A polícia não intervém, já que Seyss-Inquart, o nazista, já é ministro do Interior.

Nada pior que essas multidões amargas, essas milícias com suas braçadeiras, suas insígnias militares, uma juventude presa em falsos dilemas, dilapidando seus ímpetos em uma aventura assustadora. Neste momento, Schuschnigg, o pequeno ditador austríaco, joga sua última carta. Ah, ele devia saber bem, no entanto, que por toda parte existe um estado crítico além do qual é impossível se refazer; resta apenas olhar o adversário mostrar suas melhores cartas e recolher as vazas: as damas, os reis, tudo o que não soubemos jogar a tempo e que guardamos febrilmente na mão, na esperança de não perder. Porque Schuschnigg não é nada. Não possui nada, não é amigo de ninguém, não é a esperança para nada. Tem mesmo todos os defeitos, Schuschnigg, a arrogância da aristocracia e concepções políticas absolutamente retrógradas. Quem se colocou, oito anos antes, na liderança de um grupo de juventude católica paramilitar, quem dançou sobre o cadáver da liberdade não pode esperar que ela subitamente voe em seu socorro! Nenhum raio de sol atravessará bruscamente sua noite, nenhum sorriso eclodirá no rosto do espectro para encorajá-lo a realizar seu último dever. Nenhuma palavra de mármore sairá de sua boca, nenhuma partícula de graça, nem um perdigoto de luz, nada. Seu rosto não se inundará de lágrimas. É apenas um jogador de cartas, Schuschnigg, um calculista medíocre; ele até mesmo pareceu acreditar na sinceridade de seu vizinho alemão, na lealdade dos acordos que, no entanto, acabavam de lhe extorquir. Ele se alarma um pouco tarde; invoca as deusas que ele ultrajou, reivindica os engajamentos ridículos para uma independência já morta. Não quis encarar a verdade de frente. Mas agora ela se volta para ele, bem perto, horrível, inevitável. E ela lhe cospe na cara o segredo doloroso de seus compromissos.

Então, em um último gesto de afogado, ele procura o apoio dos sindicatos e do partido social-democrata, interditado, no entanto, já há quatro anos. Face ao perigo, os socialistas aceitam, ainda assim, sustentá-lo. Schuschnigg lança em seguida uma proposta de plebiscito sobre a independência do país. Hitler está louco de raiva. Na sexta-feira, 11 de março, às cinco horas da manhã, o camareiro acordou Schuschnigg para o mais longo dia de sua existência. Ele pousa os pés no chão. O parquete está frio. Ele coloca os chinelos. Dão-lhe o anúncio de vastos movimentos de tropas alemãs. A fronteira de Salzburg está fechada e os transportes ferroviários entre a Alemanha e a Áustria foram interrompidos. Uma serpente desliza nas trevas. O cansaço de viver é insuportável. Ele se sente subitamente muito velho; mas terá todo o tempo para pensar em tudo isso, ficará sete anos na prisão sob o Terceiro Reich e terá sete anos para se perguntar se fez bem em ter reunido recentemente seu pequeno grupo católico paramilitar, sete anos para saber o que é realmente católico e o que não é, a fim de separar a luz das cinzas. Mesmo com alguns privilégios, a prisão é uma provação terrível. E, mesmo assim, uma vez libertado pelos aliados, ele levará enfim uma vida tranquila. E – como se duas vidas fossem possíveis para cada um de nós, como se o jogo da morte pudesse destruir nossos sonhos, como se na sombra desses sete anos ele tivesse perguntado a Deus: "Quem sou eu?" e que Deus tivesse respondido: "Outra pessoa" – o antigo chanceler vai estabelecer-se nos Estados Unidos e se tornará um americano modelo, um católico modelo, um professor universitário modelo na Universidade Católica de Saint Louis. Um pouco mais e ele quase teria podido discutir, usando um roupão, com McLuhan, sobre a galáxia de Gutenberg!

Um dia ao telefone

Por volta das dez horas da manhã, enquanto Albert Lebrun, presidente da República Francesa, rubrica um decreto relativo à denominação de origem controlada da região de Juliénas (o célebre decreto de 11 de março de 1938), e se pergunta, à medida que seu olhar escapa pelos batentes da janela de seu escritório, se os vinhos de Émeringes e de Pruzilly realmente merecem tal denominação, enquanto chove e pequenas gotas batem no vidro como um trecho de piano executado por uma mão iniciante – sonha Albert Lebrun, em um ímpeto poético –, enquanto coloca o decreto em uma enorme pilha, uma verdadeira bagunça, e pega um outro, fixando o orçamento da Loteria Nacional para o próximo exercício – deve ser o quinto ou sexto que ele assina desde sua entrada em função, porque alguns decretos voltam todo ano, assim como os andorinhões nas grandes árvores do cais, para pousar em sua escrivaninha; assim, enquanto Albert Lebrun divaga sem parar sob o imenso egoísmo de seu abajur, em Viena o chanceler Schuschnigg recebe um ultimato de Adolf Hitler. Ou ele desiste de seu projeto de plebiscito, ou a Alemanha invade a Áustria. Está excluída qualquer possibilidade de discussão. Terminado o sonho da virtude, é preciso agora limpar a maquiagem e tirar o traje. Quatro horas intermináveis se passam. Às catorze horas, tendo ferrado com seu almoço, Schuschnigg enfim anula o plebiscito. Ufa. Tudo vai poder continuar como antes: os passeios à beira do Danúbio, a música clássica, a conversinha inconsistente, os doces das casas Demel ou Sacher.

Mas não. O monstro é mais guloso que ele. Exige agora a demissão de Schuschnigg e sua substituição por Seyss--Inquart, no posto de chanceler da Áustria. Só isso. *Que pesadelo, isso então não vai acabar nunca!* Na época em que era prisioneiro dos italianos, jovem, durante a Primeira Guerra, Schuschnigg deveria ter lido os artigos de Gramsci em vez de romances de amor; então talvez tivesse topado com estas linhas: "Quando você discute com um adversário, tente se colocar no lugar dele". Mas ele jamais se colocou no lugar de ninguém, no máximo usou o traje de Dollfuss, depois de ter lambido suas botas por alguns anos. Colocar-se no lugar de alguém? Ele nem consegue imaginar aonde isso leva! Ele não se colocou no lugar dos operários espancados nem dos sindicalistas presos, nem dos democratas torturados; então, agora, não conseguiria chegar a se colocar no lugar de monstros! Ele hesita. É o último minuto da última hora. E assim, como de costume, ele capitula. Ele, a força e a religião; ele, a ordem e a autoridade, eis que ele diz "sim" a tudo o que lhe pedem. Basta não lhe pedirem com gentileza. Ele disse "não" à liberdade dos social-democratas, firmemente. Disse "não" à liberdade de imprensa, com coragem. Disse "não" à manutenção de um parlamento eleito. Disse "não" ao direito de greve, "não" às reuniões, "não" à existência de outros partidos além do seu. Entretanto, é exatamente o mesmo homem que vai se empregar na nobre universidade de Saint-Louis, no Missouri, como professor de ciências políticas. Claro que ele conhecia ciências políticas a fundo, ele que tinha sabido dizer "não" a todas as liberdades públicas. Também, depois de passado o pequeno minuto de hesitação – enquanto um bando de nazistas penetra na chancelaria –, Schuschnigg, o intransigente, o homem do "não", a negação feita ditador, se volta para a Alemanha, com a voz estrangulada, o focinho vermelho, o olho úmido, e pronuncia um fraco "sim".

Enfim! Não havia mais nada a fazer, ele nos diz em suas memórias. Consola-se como pode. Ele vai então ao palácio presidencial; no fundo, está aliviado, mortificado, mas aliviado. Ele vem entregar sua demissão ao presidente da República, Wilhelm Miklas. Mas lá, uma surpresa: eis que Miklas, esse filho de um pequeno empregado dos correios, que foi mantido como presidente da República decorativo, que servia de caução e, geralmente, contentava-se em manter-se gentilmente ao lado de Dollfuss, e depois de Schuschnigg, durante as cerimônias, eis então que essa besta do Miklas recusa sua demissão. Merda! Ligam para Goering. Ele, Goering, não aguenta mais esses austríacos cretinos! Ele queria muito que o deixassem em paz! Só que Hitler não pensa assim; é preciso que Miklas aceite essa demissão, ele berra, um fone de telefone em cada mão; ele exige. É curioso como até o fim os tiranos mais convencidos respeitam vagamente as formas, como se quisessem dar a impressão de que não brutalizam os procedimentos, enquanto pisam abertamente em cima de todas as práticas. Diriam que a força não é suficiente para eles, e que eles sentem um prazer adicional em forçar seus inimigos a realizar, uma última vez, a seu favor, os rituais do poder que eles estão abatendo.

Decididamente, esse dia 11 de março é longo! Tique-taque, tique-taque, o ponteiro do relógio em cima da escrivaninha de Miklas continua, imperturbável, seu minúsculo trabalho de verme de madeira. Miklas não é um grande capitão: ele deixou Dollfuss instalar sua pequena ditadura na Áustria e pôde conservar, sem dizer uma palavra, seu cargo de presidente. Contam que, quanto às violações da Constituição, Miklas, no privado, emitia umas críticas – grande coisa! E, no entanto, é um tipo curioso, esse Miklas, já que no pior momento, por volta das duas horas da tarde de 11 de março, quando um santo cagaço começa a ganhar todo mundo, enquanto Schuschnigg diz "sim", "sim", "sim" para o que quer que seja, eis que Miklas diz "não". E ele não diz "não" a três sindicalistas, a dois chefes da imprensa, a uma brigada de gentis deputados social-democratas; ele diz "não" a Adolf Hitler. Sujeito engraçado, esse Miklas. Ele, que era tão apagado, presidente de uma república morta havia cinco anos, eis que ele se rebela. Com sua cabeça grande notável, sua bengala, seu terno, seu chapéu-coco e seu relógio de bolso, ele não sabe mais dizer "sim". O homem nunca pode ter certeza; um pobre bronco pode de repente escarafunchar no fundo de si mesmo, encontrar ali uma resistência absurda, um cravo, uma farpa. E eis que um tipo aparentemente sem princípios, um bocó sem amor-próprio, se rebela. Ah, não por muito tempo, mas ainda assim. O dia ainda será longo para Miklas.

Em um primeiro momento, depois de horas de pressão, ele acaba cedendo. Os nazistas ficam aliviados; eles, que circulam sobre tapetes vermelhos com seus tanques, desejavam absolutamente conseguir o acordo de Miklas.

— Sim, Schuschnigg pode pedir demissão, tudo bem, não insistirei mais nisso.

Surpreendente retratação. Tanto que, assim que é dado o seu consentimento, por volta das dezenove e trinta, assim que Schuschnigg cai nos calabouços da História, enquanto os nazistas reassegurados se preparam para estourar um espumante luzidio para a subida ao trono de Seyss-Inquart, o bom Miklas lhes puxa a manga às dezenove e trinta e um para dizer que deu autorização para a demissão do simplório do Schuschnigg, mas que, por outro lado, se recusa categoricamente a nomear Seyss-Inquart.

São vinte horas em ponto. Então, os alemães que, como se diz nos manuais, tinham acima de tudo intenção de preservar as aparências, a fim de não alarmar a comunidade internacional (que, claro, não suspeita de nada), cansados de ameaçar Miklas, decidem ir adiante. Paciência, se Seyss-Inquart ainda não é chanceler, é como ministro do Interior que vão fazê-lo contribuir. A fim de poder ordenar à *Wehrmacht*[6] que passas-

---

6 Literalmente, "força armada". É o nome das Forças Armadas alemãs durante o Terceiro Reich (N. T.).

se a fronteira austríaca sem deixar muita impressão de estar transgredindo regras de direito, pedem a Seyss-Inquart que convide os alemães para seu belo país e que o faça rápida e oficialmente. Ah! Claro, ele é só um ministro, mas, já que o presidente Miklas não quer nomeá-lo chanceler, é preciso sacudir um pouco o protocolo. Por mais que já se esteja montado no direito constitucional, as circunstâncias são imperiosas, nada prevalece sobre elas.

Espera-se então a mensagem de Seyss-Inquart, o pequeno telegrama no qual ele vai pedir que os nazistas venham lhe dar uma mão. São vinte horas e trinta, nada acontece. O espumante esvaece nas taças. Que droga Seyss-Inquart está fazendo, em nome de Deus? Esperava-se que isso fosse rápido, que ele se apressasse para escrever seu pequeno telegrama e poderem enfim ir jantar. Hitler está fora de si, esperando há horas! Por anos, sem dúvida! Então, com os nervos à flor da pele, exatamente às vinte horas e quarenta e cinco, ele dá ordem de invadir a Áustria. Não importa o convite de Seyss-Inquart. Isso não vai acontecer. Não importa o direito, não importam as Cartas, as constituições e os tratados, não importam as leis, esses pequenos parasitas normativos e abstratos, gerais e impessoais, as concubinas de Hamurabi, dizem que elas são as mesmas para todos, meretrizes! O fato acabado não é o mais sólido dos direitos? A

Áustria será invadida sem a autorização de ninguém, e isso será feito por amor.

Apesar de tudo, logo que a invasão começou, dizem que, ainda assim, com um convite nos conformes seria mais seguro. Redige-se então um telegrama, aquele que teriam adorado receber; os amores são feitos de tal forma que alguns se contentam em ditar à sua amante os bilhetinhos com que sonham. Três minutos mais tarde, Seyss-Inquart recebe então o texto do telegrama que ele deverá enviar a Adolf Hitler. Assim, por um sutil efeito de retroação, a invasão se transmuta em convite. O pão deve virar carne. O vinho deve virar sangue. Mas eis que – nova surpresa – o muito servil Seyss-Inquart não parece realmente disposto a vender a pele da Áustria. Os minutos escoam, o telegrama não chega.

Enfim, após um longo corredor de discussões, balançando os ombros pesados, cansado, sem dúvida desgostoso, o velho Miklas, por volta da meia-noite, quando os nazistas já tinham se apossado dos principais centros de poder, enquanto Seyss-Inquart continua obstinadamente se recusando a rubricar seu telegrama, enquanto na cidade de Viena se passam cenas de loucura, agitadores assassinos, incêndios, berros, judeus arrastados pelos cabelos ao longo das ruas cheias de destroços, enquanto as grandes democracias parecem não ver nada, enquanto a Inglaterra se deitou e ronrona pacificamente, a

França sonha bons sonhos, todo o mundo está pouco se importando, o velho Miklas, a contragosto, acaba nomeando o nazista Seyss-Inquart chanceler da Áustria. Frequentemente, as maiores catástrofes se anunciam aos poucos.

Almoço de despedida em Downing Street

No dia seguinte, em Londres, Ribbentrop foi convidado por Chamberlain para um almoço de despedida. Após muitos anos na Inglaterra, o embaixador do Reich acabava de receber uma promoção. A partir desse momento, ele é ministro das Relações Exteriores. Ele voltou então alguns dias para Londres para tirar sua licença e entregar as chaves de sua casa. Isso porque conta-se que, antes da guerra, Chamberlain, que possuía alguns apartamentos, tinha Ribbentrop como locatário. Desse fato trivial, desse conflito curioso entre a imagem e o homem, desse contrato – por meio do qual Neville Chamberlain, dito "o locador", se comprometeu, em troca de um valor, "o aluguel", a assegurar a Joachim von Ribbentrop o gozo agradável de sua casa em Eaton Square –, ninguém soube tirar a menor conclusão. Chamberlain deveria receber esse aluguel entre duas más notícias, entre dois golpes baixos. Mas certamente é preciso que os negócios continuem. Ninguém, portanto, percebeu ali qualquer anomalia, não se deu a esse pequeno pedaço de direito romano o menor sentido, nada. Um pobre diabo julgado por roubo é reprovado por uma bateria de antecedentes, muitas vezes os fatos falam abundantemente. Mas, se os fatos concernem a Chamberlain, então é preciso ser prudente. Uma certa decência é o costume, sua política de pacificação não é nada além de um triste erro, e suas atividades de locador não ocupam mais que uma nota de rodapé na História.

A primeira parte da refeição se passou no mais franco bom humor. Ribbentrop se pôs a contar suas proezas esportivas; então, depois de algumas brincadeiras sobre si mesmo, evocou os prazeres do tênis; Sir Alexander Cadogan o ouvia polidamente. De início, divagou por um longo momento sobre o serviço e sobre este pequeno planeta de borracha coberto de feltro branco: a bola, cuja vida é muito curta, insistiu, nem mesmo o tempo de uma partida! Depois, evocou o grande Bill Tilden, que sacava como um semideus, dizia, e tinha reinado sozinho no tênis dos anos 1920 como ninguém mais conseguiria no futuro. Durante cinco anos, Tilden não perdeu uma partida, e ganhou sete vezes seguidas a copa Davis. Ele tinha o que se chamava na época de saque bola de canhão, seu físico era absolutamente feito para essa performance sublime: era alto, magro, com ombros largos e mãos enormes. Ribbentrop semeava seu discurso inesgotável com revelações e anedotas picantes; assim, Tilden tinha tido, no começo de sua mais produtiva série de vitórias, a ponta de um dedo amputada; ele a tinha estropiado desastradamente no alambrado. Depois da operação, ele jogou ainda melhor, como se essa pontinha de dedo tivesse sido um erro da seleção natural que a cirurgia moderna tinha corrigido. Mas Tilden era sobretudo um estrategista – insistiu Ribbentrop, enxugando os lábios no guardanapo –, e seu livro, *The Art of Lawn Tennis*,[7] é uma mina de reflexões sobre a disciplina tenística, como o livro de Ovídio sobre a arte de amar. Mas, sobretudo – quintessência do ser para aquele cujos camaradas de juventude tinham apelidado gentilmente de Ribbensnob –, Bill Tilden era descontraído, extremamente descontraído. E elegante: seu *backhand* parecia uma reverência. Entretanto, em uma quadra de tênis, ele era o rei absoluto, ninguém podia vencê-lo e nem mesmo as vitórias de seus adversários, quando ele já tinha passado dos quarenta anos, tirariam dele

---

[7] "A arte do tênis de grama." Sem tradução para o português (N. T.).

o primeiro lugar, aquele que seu estilo altivo dava a todos os *matches* que disputava. Depois, Ribbentrop falou um pouco de si, de seu próprio jogo. Sir Cadogan sentia, na verdade, um aborrecimento terrível por essas histórias de tênis, e ouvia o ministro do Reich sorrindo. A senhora Chamberlain também tinha caído na armadilha no começo da refeição, e suportava essa torrente de palavras educadamente. Ribbentrop evocava agora sua temporada de juventude no Canadá, de camisa e sapatos brancos, maltratando seus mocassins nas quadras, servia *aces* quase à vontade. Chegou ao ponto de se levantar e fazer um gesto de arremesso, e quase virou um copo, mas não, segurou-o a tempo, e isso passou por uma troça. Começou novamente a falar de Tilden, das doze mil pessoas que foram vê-lo jogar em 1920, o que era um recorde absoluto para a época, e que hoje continua sendo um número espantoso. Mas, sobretudo, ele continuou como *number one*, repetiu Ribbentrop várias vezes, tinha continuado a ser *number one* durante longos anos. Graças a Deus, o prato principal chegou.

Na entrada, tinham servido melão *charentais* no gelo, e Ribbentrop tinha engolido o seu sem prestar a menor atenção. O prato principal era frango de Louhans *à la* Lucien Tendret. Churchill cumprimentou e, talvez para caçoar de Ribbentrop e contrariar Cadogan, colocou de novo o ministro do Reich no tênis. Ele não tinha sido comediante na Broadway, esse Bill Tilden, e não era autor de dois romances execráveis: um se chamava *A estrada fantasma* e o outro *O soco frouxo*, ou algo do gênero? Ribbentrop não sabia. De resto, desconhecia muitas coisas sobre Tilden.

A refeição continuou assim. O embaixador do Reich parecia muito à vontade. Aliás, tinha se feito notar por Adolf Hitler graças à sua naturalidade, à sua elegância *old fashion* e à sua cortesia, em meio ao que era o partido nazista: um monte de bandidos e criminosos. Sua atitude altiva, combinada com um fundo de submissão perfeita, o tinha impulsionado até o posto de ministro das Relações Exteriores, cargo invejado; e ele se encontrava então – neste 12 de março de 1938, em Downing Street – no topo do que a vida lhe reservava. Tinha debutado em sua carreira profissional como importador de champanhes Mumm e Pommery, e Hitler o tinha enviado para a Inglaterra a fim de fazer *lobby* para o Reich, sondar os corações e obter, daqui e de lá, algumas informações. Ele nunca parou, durante esse período complicado, de afirmar a Hitler que os ingleses eram muito incapazes de reagir. Sempre encorajou o Führer a prosseguir com as ações mais temerárias, bajulando suas tendências megalomaníacas e brutais. Foi assim que galgou os degraus da glória nazista aquele que Hitler, pelas costas, chamava às vezes de "o pequeno vendedor de champanhe", tão tenazes são os preconceitos, mesmo entre os mais profundos destruidores da sociedade.

Bem no meio da refeição, como registra Churchill nas suas memórias, um enviado do Foreign Office se apresentou. Talvez estivessem dividindo uma última coxa de frango, a não ser que já estivessem nos pãezinhos de queijo branco acompanhados de limonada ou, ainda, degustassem uma *tarte au shion*: duzentos gramas de farinha, cem gramas de manteiga, um ou dois ovos, uma pitada de sal, um pouco de açúcar, um quarto de litro de leite, sêmola e água para diluir tudo. Consigo explicar com detalhes a guarnição e o cozimento, porque elaboravam-se com frequência receitas francesas em Downing Street; o primeiro-ministro, Neville Chamberlain, era um admirador delas. E afinal, por que não se interessar assim pela cozinha? Conta-se, em alguma parte da *História augusta*, que uma vez o Senado romano deliberou por horas sobre o molho de um linguado. É, portanto, entre o tinir de garfos que o enviado do Foreign Office entrega discretamente um envelope para Sir Cadogan. Houve um silêncio incômodo. Sir Cadogan parecia ler com muita atenção. Voltaram lentamente a falar. Ribbentrop agiu como se nada tivesse acontecido; sussurrou dois ou três cumprimentos à dona da casa. Foi então que Cadogan se levantou e entregou a nota para Chamberlain. Cadogan não parecia nem surpreso nem contrariado pelo que acabava de ler. Ele estava pensando. Chamberlain leu também, com ar preocupado. Durante esse tempo, Ribbentrop continuava a tagarelar. A sobremesa acabava de ser servida, os morangos silvestres carminados, como Escoffier sabia fazer. Uma verdadeira delícia. Todos comeram com fervor e Cadogan retomou seu lugar, trazendo a nota. Mas Churchill, abrindo um de seus grandes olhos de cocker e virando-o para Chamberlain, percebeu nele uma funda ruga entre os olhos; concluiu que era uma notícia preocupante. Ribbentrop, por sua vez, não via nada. Divertia-se, sem dúvida todo feliz de ter se tornado ministro. A convite da senhora Chamberlain, passaram para a sala.

O café foi servido. Ribbentrop se pôs então a falar dos vinhos franceses, sua especialidade, mantendo assim por bastante tempo uma conversa que definhava. Para ilustrar não se sabe mais o quê, ele pegou uma taça invisível posta no topo de sua invisível pirâmide de taças, e propôs, com bravura, um brinde. A taça invisível estava fria, o champanhe invisível estava a seis graus, temperatura ideal. Sua faca de sobremesa dá batidinhas na taça; Ribbentrop balança a cabeça, sorri. Lá fora, havia chovido, as árvores estão molhadas, as calçadas brilham.

Os Chamberlain manifestam sua impaciência, mas educadamente. Não se pode abreviar uma recepção desse tipo, com o ministro de uma potência europeia. É preciso ter tato, encontrar a ocasião para se retirar. Logo os convidados, e eles também, tiveram a sensação de que algo estava acontecendo e de que uma conversa subterrânea se fazia entre Chamberlain e sua esposa, que envolvia mais e mais protagonistas: Cadogan, Churchill e sua esposa, bem como alguns outros. Houve então uma primeira onda de partidas. Mas os Ribbentrop ficaram lá, inconscientes do incômodo, sobretudo ele, que esse dia de despedida parecia inebriar, privando-o do tato mais elementar. Impacientavam-se. Ainda, muito educadamente, sem demonstrar. Não se poderia, certamente, pôr para fora um convidado de honra; era preciso somente que ele compreendesse por si mesmo que era chegado o momento de deixar a sala, colocar seu sobretudo e subir em sua Mercedes com suásticas.

Mas Ribbentrop não compreendia nada, absolutamente nada; ele tagarelava. Sua esposa, ela também, começou a puxar uma conversa animada com a senhora Chamberlain. A atmosfera era irreal, com os anfitriões manifestando, em ligeiras inflexões de voz, uma impaciência pouco perceptível, mas que uma verdadeira polidez deveria detectar. Nesse tipo de situação, nós nos perguntamos se somos loucos ou escrupulosos demais, se o outro mostra um incômodo que nos parece palpável; mas não, nada. O cérebro é um órgão impermeável.

Os olhos não traem o pensamento, as mímicas imperceptíveis são ilegíveis para os outros; parece que o corpo inteiro é um poema que nos faz queimar, e que nossos vizinhos não compreendem uma palavra dele.

De repente, tomando a tarefa para si, Chamberlain diz a Ribbentrop:

— Queira me desculpar, uma questão urgente me chama.

Era um pouco abrupto, mas ele não tinha encontrado outro jeito de resolver logo. Levantaram-se, a maior parte dos convidados saudou seus anfitriões e foi embora de Downing Street. Mas os Ribbentrop ficaram ali, acompanhando os que restavam. A discussão durou ainda um longo tempo. Ninguém evocou a nota que Cadogan e Chamberlain tinham lido durante a refeição e que flutuava entre eles como um fantasminha de papel, uma réplica desconhecida que todo mundo teria adorado ouvir, e que era de fato o verdadeiro texto desse estranho vaudeville. Finalmente, cada um deles se retirou, mas não antes de Ribbentrop ter desenrolado todo o seu estoque de mundanidades insípidas. É que o antigo ator de teatro amador estava representando um de seus papéis secretos no grande palco da História. Antigo patinador de gelo, violinista, jogador de golfe, ele sabe fazer tudo, esse Ribbentrop! Tudo! Até esticar o maior tempo possível uma refeição oficial. Era realmente um sujeito bizarro, uma mistura curiosa de ignorância e requinte. Ele cometia, parecia, horríveis erros de sintaxe; e von Neurath, por maldade – enquanto passavam por suas mãos os memorandos que o próprio Ribbentrop redigia para o Führer –, evitava cuidadosamente corrigi-los.

Os últimos convidados acabaram por se retirar, e o casal Ribbentrop levantou acampamento. O chofer abriu a porta para eles. A senhora Ribbentrop levantou delicadamente o vestido e eles subiram no carro. Houve então uma franca demonstração de alegria. Os Ribbentrop riram por terem passado a perna em todo mundo. Eles tinham, obviamente, percebido que depois da nota trazida pelo agente do Foreign Office Chamberlain tinha ficado preocupado, assustadoramente preocupado. E, é claro, os Ribbentrop sabiam exatamente o que havia nessa nota, e tinham se dado a missão de fazer Chamberlain, e o resto de sua equipe, perderem o maior tempo possível. Por isso, tinham eternizado essa refeição, depois o café, depois as discussões na sala até o limite do razoável. Durante esse tempo, Chamberlain não pôde cuidar dos problemas mais urgentes, tinha estado ocupado falando de tênis e degustando *macarons*. Os Ribbentrop, agindo com sua mais refinada polidez, uma polidez quase mórbida – já que mesmo as questões de Estado poderiam esperar –, os tinham muito utilmente desviado de seu trabalho. É que aquela nota trazida pelo agente do Foreign Office, e cujo mistério se estendeu durante aquela refeição interminável, continha uma notícia terrível: as tropas alemãs haviam acabado de entrar na Áustria.

Blitzkrieg

Durante a manhã de 12 de março, os austríacos esperaram febrilmente a chegada dos nazistas, numa alegria indecente. Em muitos filmes da época, percebemos as pessoas estenderem a mão em frente ao balcão de um quiosque, de uma caminhonete de feira, à procura de uma flâmula com suástica. Em todos os lugares, erguem-se na ponta dos pés, trepam em cornijas, em muretas, no alto dos postes na rua, em qualquer lugar, desde que consigam *ver*. Mas os alemães se fazem esperar. A manhã passou... depois, a tarde se foi, estranha; em alguns momentos, um grande barulho de motor cobria o campo, as bandeiras se agitavam, os sorrisos floresciam nos rostos, gritos de "Eles estão chegando! Eles estão chegando!" vinham de todas as partes. Os olhos arregalados fitavam o asfalto... nada. Ainda esperavam, e depois relaxavam, os braços pensos, e ao fim de um quarto de hora estavam de novo no chão, agachados na grama, conversando.

No dia 12, à noite, os nazistas vienenses tinham previsto um desfile solene para acolher Adolf Hitler. A cerimônia deveria ser emocionante e grandiosa. Esperaram até bem tarde, ninguém apareceu. Ninguém entendia o que estava acontecendo. Os homens bebiam cerveja e cantavam, cantavam, mas logo perderam a vontade de cantar, estavam vagamente decepcionados. Então, quando três soldados alemães desembarcaram, chegando de trem, houve um momento de animação. Soldados alemães? Um milagre! Eles foram os hóspedes da cidade inteira; jamais foram tão amados quanto pelos vienenses nessa noite. Viena! Ofereceram a eles todos os seus chocolates, todos os ramos de pinheiros, toda a água do Danúbio, todos os ventos dos Cárpatos, sua Ringstraße, seu castelo de Schönbrunn com seu salão chinês, o quarto de Napoleão, o cadáver do rei de Roma, o sabre das Pirâmides! Tudo! Entretanto, eles eram apenas três soldadinhos encarregados de preparar o acampamento do Exército. Mas as pessoas estavam tão ansiosas para ser invadidas que os levaram pela cidade carregados em triunfo. E eles não compreenderam bem, esses três pobres broncos, o entusiasmo que suscitavam. Ignoravam que pudessem ser tão amados. Até tiveram um pouco de medo... O amor às vezes é assustador. Os austríacos começavam, contudo, a se questionar. Onde estava a máquina de guerra alemã?, perguntavam-se. O que faziam os tanques? As metralhadoras automáticas? E todas as bestas fabulosas que nos tinham prometido, onde estavam elas? O Führer não queria mais saber de sua Áustria natal? Não, não, não era isso, mas... um rumor começava a correr, não se ousava realmente falar disso em voz alta. Era preciso, de qualquer maneira, desconfiar dos nazistas que ouviam tudo... Diziam que – ninguém tinha certeza, mas, de qualquer maneira, a situação confirmava os falatórios – depois de ter, em um ímpeto inaudito, atravessado a fronteira, a fabulosa máquina de guerra alemã tinha lamentavelmente travado.

De fato, o Exército alemão tinha penado para passar a fronteira. O que tinha sido feito em uma desordem sem nome, com uma lentidão espantosa. E, nesse momento, ele estava estacionado perto de Linz, a apenas cem quilômetros de distância. Entretanto, aparentemente o tempo estava muito bonito: nesse 12 de março, fazia mesmo um tempo de sonho.

Tudo começou tão bem! Às nove horas, levanta-se a barreira das aduanas, e, upa, estamos na Áustria! Nem houve necessidade de violências ou balbúrdias, não, aqui, somos amorosos, conquistamos sem esforço, docemente, sorrindo. Os carros, os caminhões, a artilharia pesada, e assim por diante, avançam lentamente sobre Viena, para o grande desfile nupcial. A noiva consente, não é um estupro: são núpcias, como se pretendia. Os austríacos se esgoelam, fazem a saudação nazista da melhor maneira que conseguem, em sinal de boas-vindas; treinam isso há cinco anos. Mas a estrada para Linz é complicada, os veículos fumegam, as motocicletas tossem como cortadores de grama. Ah! Teria sido melhor se os alemães tivessem ido jardinar, tivessem dado uma voltinha pela Áustria e depois voltado para Berlim, sabiamente, e tivessem transformado todo esse material em tratores, e tivessem plantado repolhos no parque de Tiergarten. Porque, nos arredores de Linz, tudo vai mal. O céu está, no entanto, imaculado, sereno, um dos mais belos céus possíveis.

O horóscopo de 12 de março foi maravilhoso para Libra, Câncer e Escorpião. Por outro lado, para o restante dos homens, o céu estava nefasto. As democracias europeias opuseram à invasão uma resistência fascinada. Os ingleses, que estavam a par de sua iminência, tinham advertido Schuschnigg. Isso foi tudo que fizeram. Os franceses, por sua vez, estavam sem governo, a crise ministerial era oportuna.

Em Viena, na manhã de 12 de março, só o redator-chefe do *Neues Wiener Tagblatt*, Emil Löbl, fará um artigo em homenagem ao pequeno ditador Schuschnigg – era mesmo um minúsculo ato de resistência: esse talvez tenha sido o único. Durante a manhã, um bando surgirá no jornal e ele será brutalmente forçado a deixar seu posto. Os SA aparecem nos escritórios e espancam os empregados, os jornalistas, os redatores. Entretanto, no *Neues Wiener* não há esquerdistas, não disseram uma palavra desde que o Parlamento se dissolveu no nada, eles aprovaram sabiamente o catolicismo autoritário do novo regime, aceitaram as purgas das redações sob Dollfuss; e a expulsão dos social-democratas, presos, proibidos de trabalhar, não os incomodou muito. Mas o heroísmo é uma coisa bizarra, relativa e, além disso, nessa manhã, é ao mesmo tempo emocionante e inquietante ver Emil Löbl ser o único a se queixar.

Em Linz, não foi diferente. Fizeram horríveis purgas e nesse momento a cidade era absolutamente nazista. Em todos os lugares cantavam, ofegantes, com a esperança de ver o Führer a qualquer minuto. Diriam que o mundo todo está lá, o sol brilha e a cerveja corre à vontade. Quando a manhã passa, tiram sonecas no canto de um bar e, como nada pode parar o tempo, logo é meio-dia, o sol está em seu zênite sobre o monte Pöstlingberg. As fontes das praças se calam, as famílias voltam para casa para almoçar, o Danúbio faz correr suas águas. No Jardim Botânico, a fabulosa coleção de cactos está cheia de adereços, as aranhas os tomam por moscas. Em Viena, no balcão do Grand Café, murmuram que os alemães ainda não chegaram a Wels, que talvez não estivessem nem mesmo em Meggenhofen! As más-línguas debocham dizendo que eles erraram a direção, que os alemães avançam para Susa, na Itália, ou para o porto Damiette, no Egito, e que eles serão vistos no próximo ano no teatro Bobino, em Paris! Mas alguns evocam, em voz baixa, uma pane, uma imensa pane de combustível, um grande problema de abastecimento.

Hitler deixou Munique de automóvel, o rosto açoitado por um vento glacial. Sua Mercedes rodou por entre florestas profundas. Ele tinha previsto passar em Braunau, sua cidade natal, depois em Linz, a cidade onde havia passado sua juventude, e enfim em Leonding, onde repousam seus pais. Era, além de tudo, uma bela viagem. Por volta de dezesseis horas, Hitler tinha atravessado a fronteira em Braunau; o tempo estava radiante, mas muito frio, seu cortejo era composto de vinte e quatro automóveis e vinte e quatro caminhonetes. Todo mundo está lá: a SS, a SA, a polícia, todas as unidades do Exército. Fazem contato com a multidão. Param um instante em frente à casa natal do Führer, mas não há tempo a perder!

Já estão atrasados. Menininhas estendem buquês, a multidão agita bandeirinhas com suásticas, tudo vai bem. No meio da tarde, o cortejo já atravessou inúmeras cidades, Hitler sorri, acena com a mão, a exaltação é nítida em seu rosto; ele faz a saudação nacional-socialista a todo instante, para vagas assembleias de camponeses ou para jovens moças. Mas, mais frequentemente, ele se contenta com esse gesto estranho que Chaplin parodiou tão bem, o braço dobrado em um movimento desenvolto, um pouco feminino.

Um engarrafamento de *Panzers*

A *Blitzkrieg* é uma fórmula simples, uma palavra que a publicidade colou sobre o desastre. O teórico dessa estratégia agressiva se chama Guderian. Em seu livro *Achtung – Panzer!*,[8] com título seco e surpreendente, Guderian desenvolveu sua teoria da guerra-relâmpago. Ele leu, é claro, John Frederick Charles Fuller; adorou seu livro ruim sobre ioga, percorreu febrilmente suas profecias delirantes em que pensou descobrir o assustador mistério do mundo; mas são sobretudo seus artigos sobre a mecanização dos exércitos que lhe arruinaram

---

8 *Achtung*: palavra alemã que significa cuidado, atenção. No contexto do livro, refere-se aos ataques dos tanques de guerra alemães, conhecidos como Panzers (N. T.).

completamente noites e noites de sono. E isso o fez cogitar, esses livros de Fuller, isso agradou Guderian, essa evocação apaixonada de uma guerra heroica e brutal. Porque John Frederick Charles Fuller é apaixonado, tão apaixonado que um pouco mais tarde ele se juntará ao fascista *sir* Oswald Mosley, deplorando a indolência das democracias parlamentares e conclamando um regime mais estimulante. É assim que ele se tornará membro da *Nordic League,* visando a promoção do nazismo. O pequeno concílio se reunia em segredo, em alguma cabana bem inglesa, e passava longas horas falando dos judeus. Mas seus simpatizantes não eram somente os comerciantes de Mayfair, ah, não, havia também a senhora Douglas-Hamilton, que amava tanto os animais; porque sabe-se que todas as misérias têm seu cerne na alma humana. Havia o bom duque de Wellington, Arthur Wellesley, coqueluche dos salões, ex-aluno de Eton, que se beneficiou de todas as vantagens do mundo, inescusável, portanto, conhecedor de Propércio e de Lucano, que passeava, sem dúvida, ao amanhecer, soprando sua flauta de avena no parque de sua propriedade, entre os pastores de Teócrito, colecionador de obras de arte, talvez não das melhores, mas ainda assim. E que tinha, entretanto, o crânio estreito, o lábio caído e o olhar ausente, tanto que, se ele tivesse nascido em um subúrbio de Londres, jamais teríamos ouvido falar dele.

* * *

"Achtung – Panzer!" Nesse 12 de março de 1938, os blindados abriram a parada; à frente do décimo sexto corpo do Exército, Heinz Guderian iria enfim realizar seu sonho. O primeiro blindado alemão tinha sido fabricado em 1918, foram construídos cerca de vinte exemplares; era uma pesada carcaça de ferragens, uma caixa de duzentos cavalos, um enorme carrinho de bebê muito lento, de manipulação tediosa. Um deles, no final da Primeira Guerra, enfrentou em combate singular um blindado inglês e foi irremediavelmente destruído. Apesar de o tanque já ter tido muitos progressos depois desse primeiro batismo, ainda restava muito a fazer. Assim, o *Panzer* IV, que seria por um tempo a atração das batalhas, estava ainda, nesse dia de março de 1938, engatinhando. Produzido por Krupp, esse pequeno veículo de assalto era na época um veículo de combate muito medíocre. Com uma blindagem leve demais, incapaz de resistir a explosivos antitanque, seu canhão só lhe permitia atacar alvos fáceis. O Panzer II era ainda menor, uma verdadeira lata de sardinhas. Ele era rápido, leve, mas incapaz de furar a blindagem de um veículo inimigo, enquanto ele próprio era vulnerável. Ficou obsoleto assim que saiu de fábrica. Aliás, no início deveria ser apenas um veículo de entretenimento, mas a produção se atrasou; a guerra chegou

mais rápido que o previsto, e ele fez muito do serviço ativo. Quanto ao *Panzer* I, era quase um tanquinho, só podia abrigar dois homens, sentados diretamente sobre o metal, como professores de ioga. Era frágil demais, e seu armamento era muito fraco, mas, em compensação, era bem barato, mal custava o preço de um trator.

 O Tratado de Versalhes tinha proibido os alemães de fabricar tanques, e, então, as empresas alemãs os produziram a partir de intermediários de sociedades de fachada, no exterior. Nota-se que a engenharia financeira serve desde sempre para as manobras mais nocivas. Assim, disfarçadamente, a Alemanha se tinha constituído, como diziam, em uma prodigiosa máquina de guerra. E era justamente esse novo exército, essa promessa enfim realizada abertamente, que todos os austríacos esperavam à beira da estrada, nesse 12 de março de 1938. Deveriam estar um pouco inquietos, um pouco febris, embaixo do céu radiante.

Foi então que um minúsculo grão de areia se inseriu na formidável máquina de guerra alemã. Houve de início uma fila inteira de blindados no acostamento. Hitler, cuja Mercedes precisou se afastar, os olhou com desprezo. Em seguida, foram outros veículos de artilharia pesada, imóveis no meio da estrada; e, por mais que buzinassem, berrassem que o

Führer precisava passar, nada acontecia: os veículos continuavam no lugar. Um motor é uma coisa sublime, um verdadeiro milagre se pararmos para pensar. Um pouco de combustível, uma faísca, e, upa! A pressão aumenta, empurra o pistão, que inicia a rotação do virabrequim, e pronto! Mas isso é simples só no papel, quando enguiça, que porcaria! Não se vai a lugar nenhum. É preciso ferrar as mãos em uma graxa horrível, desparafusar, parafusar... Ora, nesse 12 de março de 1938, apesar do sol intenso, fazia um frio miserável. Portanto, não era divertido sacar sua caixa de ferramentas à beira da estrada. Hitler está fora de si, o que deveria ser um dia de glória, uma travessia viva e hipnótica, se transforma em um congestionamento. No lugar da velocidade, a congestão; no lugar da vitalidade, a asfixia; no lugar do ímpeto, o freio.

Nas cidadezinhas de Altheim, de Ried, um pouco em todos os lugares, os jovens austríacos esperam, o rosto arroxeado por causa do vento. Alguns choram de frio. Nessa época, no grande balcão de vendas de personalidades, os franceses queriam Tino Rossi nas Galeries Lafayette e os americanos queriam dançar ao som de Benny Goodman. Mas os austríacos não queriam saber de Tino Rossi e de Benny Goodman; eles queriam Adolf Hitler. Assim, regularmente, na entrada das cidades, ouve-se gritarem: *"Der*

*Führer kommt!"*⁹, e depois, como nada acontecia, voltavam a falar de outras coisas.

Porque não eram apenas alguns tanques isolados que acabavam de enguiçar, não era só um blindadinho aqui e outro lá, não. Era a imensa maioria da grande armada alemã; e a estrada estava agora completamente bloqueada. Ah! Parecia um filme de comédia: um Führer ébrio de cólera, mecânicos correndo pela pista, ordens gritadas às pressas na língua rude e febril do Terceiro Reich. E depois, um exército, quando se precipita sobre você, quando desfila a trinta e cinco por hora sob o sol forte, dá um frio na barriga. Mas um exército em pane não é nada. Um exército em pane é absolutamente ridículo. O general levou a maior bronca! Berros, injúrias; Hitler o tomou por responsável pelo fiasco. Foi preciso retirar os veículos pesados, rebocar alguns tanques, empurrar alguns automóveis, para deixar passar o Führer. Ele chegou a Linz, enfim, já à noite.

Durante esse tempo, sob uma lua glacial, as tropas alemãs, a toda velocidade, carregaram o maior número de tanques que conseguiram em plataformas de trem. Trouxeram, sem dúvida, especialistas de Munique: ferroviários e motoristas

---

9 Tradução: "O Führer está chegando!" (N. T.).

de guindastes. E depois os trens levaram os blindados como se transportam equipamentos de um circo. É que precisavam estar em Viena para as cerimônias oficiais a qualquer preço, para o grande espetáculo! Deve ter sido uma cena bizarra, aquelas silhuetas sinistras, aqueles trens passando à noite, como carros fúnebres, atravessando a Áustria com sua carga de metralhadoras automáticas e de blindados.

Escutas telefônicas

No dia 13 de março, no dia seguinte à *Anschluss* – anexação da Áustria pela Alemanha –, os serviços secretos britânicos interceptaram uma curiosa comédia telefônica entre a Inglaterra e a Alemanha.

— Senhor Ribbentrop — Goering se queixava, encarregado do Reich enquanto Hitler voava para sua pátria. — Esse negócio de ultimato, com que ameaçamos a Áustria, é uma mentira abominável. Seyss-Inquart, levado ao poder com o consentimento popular, está nos pedindo ajuda. Se o senhor soubesse a brutalidade do regime de Schuschnigg!

— É inacreditável! O mundo todo precisa saber! — Ribbentrop responde.

A conversa prossegue nesse tom durante uma meia hora. E é preciso imaginar a cabeça daqueles que presenciaram essas frases estranhas, e que devem ter tido a impressão de estar, de repente, nos bastidores do teatro. Depois, o diálogo termina. Goering evoca o tempo radiante. O céu azul. Os pássaros. Ele está em sua sacada, diz, e pode ouvir no rádio o entusiasmo dos austríacos.

— É maravilhoso! — exclama Ribbentrop.

Sete anos mais tarde, em 29 de novembro de 1945, ouve-se mais uma vez o mesmo diálogo. Eram as mesmas palavras, menos hesitantes talvez, mas agora escritas; ainda eram exatamente as mesmas falas desenvoltas, o mesmo sentimento de zombaria. Isso acontece em Nuremberg, no tribunal internacional. O acusador dos Estados Unidos, Sydney Alderman, a fim de fundamentar a acusação de complô contra a paz, tira de seu dossiê um maço de folhas. Essa conversa entre Ribbentrop e Goering lhe parece muito esclarecedora; ali se ouve um discurso ambíguo, afirma, visando induzir ao erro as outras nações.

Alderman começou então sua leitura. Leu o pequeno diálogo como se leem réplicas de teatro. Se bem que, quando Alderman pronunciou o nome de Goering, nomeando o primeiro personagem, o verdadeiro Goering, no banco de réus, fez sinal de se levantar. Mas compreendeu bem rápido que não o chamavam, iam simplesmente representar seu papel na sua frente e reler seu discurso. Com uma voz monótona e pesada, Alderman leu a pequena cena.

Goering: — Senhor Ribbentrop, como o senhor sabe, o Führer me encarregou do Reich em sua ausência. Gostaria então de informá-lo sobre a imensa alegria que submerge a Áustria e que o senhor pode ouvir no rádio.
Ribbentrop: — Sim, é fantástico, não é?
Goering: — Seyss-Inquart temia que o país mergulhasse no terror ou na guerra civil. Ele pediu que viéssemos imediatamente, e nós logo marchamos para a fronteira para evitar o caos.

Mas o que Goering ignorava naquele momento, em 13 de março de 1938, é que um dia teríamos em mãos comunicações mais verídicas. Ele tinha pedido a seus próprios assistentes para anotar suas conversas importantes; era preciso que a História pudesse um dia tomar posse delas. Ele escreveria, talvez na sua velhice, sua *Guerra das Gálias*, quem sabe? E poderia se basear nas anotações que seriam tomadas aqui e ali nos grandes episódios de sua carreira. O que ele ignorava é que essas notas, em vez de ficarem sobre sua escrivaninha na época de sua aposentadoria, acabariam nas mãos de um procurador, aqui, em Nuremberg. Pudemos então ouvir outras cenas, aquelas que foram representadas entre Berlim e Viena, dois dias antes, na noite de 11 de março, quando acreditava que ninguém estava escutando, ninguém além de Seyss-Inquart, ou Dombrowski, o conselheiro da embaixada, que servia de intermediário e, claro, aquele que anotava para a posteridade suas conversas prodigiosas. Ele não sabia que na verdade todo mundo o ouvia. Ah! Não no minuto em que ele falava, não, mas no futuro, precisamente, naquela posteridade que ele cobiçava. É assim. Todas as conversas que Goering manteve aquela noite estão de fato perfeitamente arquivadas, disponíveis. As bombas as pouparam por milagre.

Goering: — Quando Seyss-Inquart pensa em formar seu gabinete?
Dombrowski: — Às vinte e uma e quinze.
Goering: — Esse gabinete deve ser formado às dezenove e trinta.
Dombrowski: — ... às dezenove e trinta.
Goering: — Keppler levará os nomes para vocês. O senhor sabe quem deve ser o ministro da Justiça?
Dombrowski: — Sim, sim...
Goering: — Diga o nome...

Dombrowski: — O seu cunhado, não é?
Goering: — É isso mesmo.

E de hora em hora, Goering dita sua ordem do dia. Passo a passo. E na brevidade das réplicas, ouve-se o tom imperioso, o desprezo. O lado mafioso desse caso de repente salta aos olhos. Apenas vinte minutos depois da cena que acabamos de ler, Seyss-Inquart liga. Goering lhe ordena que volte para conversar com Miklas e fazê-lo compreender que, se ele não o nomear chanceler antes das dezenove e trinta, uma invasão pode desabar sobre a Áustria. Estamos longe da conversa gentil entre Goering e Ribbentrop para os espiões ingleses, bem longe dos libertadores da Áustria. Mas uma coisa ainda deve reter a atenção: é a expressão que Goering usa, essa ameaça de *desabar sobre a Áustria*. Ela é, imediatamente, associada a imagens terríveis. Mas é preciso olhar para trás para compreender bem, é preciso esquecer o que se acredita saber, é preciso esquecer a guerra, é preciso se desfazer das atualidades da época, das montagens de Goebbels, de toda sua propaganda. É preciso lembrar-se que nesse instante a *Blitzkrieg* não é nada. Ela é só um engarrafamento de *Panzers*. É só uma gigantesca pane de motor nas estradas austríacas, não é nada além do furor dos homens, uma palavra que mais tarde veio como uma jogada de pôquer. E o que espanta nessa guerra é o sucesso inaudito da desfaçatez, do que se guarda uma coisa: o mundo cede ao blefe. Mesmo o mais sério, o mais rígido dos mundos, mesmo a velha ordem, se ela jamais cede à exigência de justiça, se jamais se curva frente ao povo que se insurge, ela se curva frente ao blefe.

Em Nuremberg, Goering ouviu a leitura de Alderman com o queixo pousado sobre o punho. Por momentos, sorri. Os protagonistas da cena estão reunidos na mesma sala. Não estão mais em Berlim, em Viena ou em Londres; estão a alguns metros uns dos outros: Ribbentrop e seu almoço de despedida, Seyss--Inquart e sua submissão de *kapo*,[10] Goering e seus métodos de gângster. Enfim, para arrematar sua apresentação, Alderman voltou ao 13 de março. Leu o final do pequeno diálogo. Ele o leu com um tom monótono que lhe tirava todo prestígio e o rebaixava ao que era: uma pura e simples patifaria.

Goering: — O tempo está maravilhoso aqui. Céu azul. Estou sentado em minha sacada, sob as cobertas, no ar fresco. Estou tomando um café. Os pássaros gorjeiam. Posso ouvir no rádio o entusiasmo dos austríacos.

Ribbentrop: — É maravilhoso!

---

10 Abreviação de *Kamerad Polizei* (alemão). Detento encarregado de comandar outros detentos em campos de concentração nazistas (N. T.).

* * *

Nesse instante, sob o relógio, no banco de réus, o tempo para; alguma coisa está acontecendo. Toda a sala se volta para eles. Como Kessel, enviado especial do jornal *France-Soir* para o tribunal de Nuremberg, ao ouvir a palavra "maravilhoso", Goering começou a rir. À lembrança dessa exclamação toda encenada, sentindo talvez como essa réplica de teatro estava nos antípodas da grande História e de sua decência, da ideia que temos dos grandes acontecimentos, Goering olhou para Ribbentrop e começou a rir. E Ribbentrop, por sua vez, foi sacudido por um riso nervoso. Face ao tribunal internacional, diante de seus juízes, diante dos jornalistas do mundo inteiro, não puderam conter o riso, no meio das ruínas.

A loja de acessórios

A verdade está dispersa em todo tipo de poeira. Assim, bem antes de mudar seu nome para Anders, *Outro*,[11] o intelectual alemão Günther Stern, emigrado para os Estados Unidos, pobre, judeu, obrigado a ganhar a vida com pequenos bicos, que se tornou aderecista quando tinha mais de quarenta anos, trabalha no Hollywood Custom Palace, cujas galerias guardam todo o passado do vestuário humano. É que o Hollywood Custom Palace é uma locadora de trajes que aluga para o cinema figurinos de Cleópatra ou de Danton, de menestréis da Idade Média ou de burgueses de Calais. Encontra-se de

---

[11] *Anders*, em alemão, significa "outro" (N. T.).

tudo no Hollywood Palace, todos os trapos da humanidade, nada sublime, migalhas de glória dispersas sobre prateleiras, simulacros de lembranças. Aqui, mantém-se um estoque de espadas de madeira, coroas de papelão, divisórias de papel. Tudo é falso. O carvão na gola do mineiro, o desgaste no joelho do mendigo, o sangue no pescoço do condenado. A História é um espetáculo. No Hollywood Palace, cruzamos com tudo que já foi: as roupas dos mártires estão estendidas secando sobre os mesmos fios onde estão as togas dos patrícios. Não se faz distinção. Parece que as imagens, o cinema, as fotografias não são o mundo – não estou muito certo disso. Assim, os andares de um edifício, onde as épocas se amontoam, deixam uma impressão de absurdo ou de loucura. Como se estivéssemos no coração da grandeza, mas acuados, esmagados, como se a poeira fosse apenas pó, o desgaste fosse ilusão, a sujeira fosse maquiagem e a aparência fosse a verdade das coisas. Mas toda a humanidade, decididamente é demais. E o Hollywood Palace empilha trapos demais, amontoa variedades demais, acumula épocas demais. Encontramos ali o drapeado romano da túnica, o egípcio chinfrim, o babilônico de circo, o grego de contrabando; mas também todas as variantes da canga e do pareô, o sari colorido das mulheres do Gujarate, o rico *baluchari* de Bengala, o algodão leve de Pondicherry; desenterramos ainda todos os sarongues malaios; roupas que cobrem tudo, ponchos, gibões, pênulas; as primeiras roupas com mangas, túnicas, blusas e camisas, o caftan, a pele de animal da pré-história e todos os ancestrais das calças. É uma caverna maravilhosa, o Hollywood Palace. Claro, o trabalho ali não é tão brilhante, dobrar as roupas do cadáver de Pancho Villa, ajustar os rufos da gola de Maria Stuart, recolocar o chapéu de Napoleão em sua prateleira. Mas, mesmo assim, que privilégio: ser um aderecista da História.

Em seu diário, Günther Stern insiste: todas as vestimentas estão lá, mesmo aquelas que cobriram os macacos de circo ou os cachorrinhos de Deauville; desde a folha de parreira de Adão até as botas dos SA, tudo. Mas o mais surpreendente não é encontrarmos aqui todos os trajes da Terra, é já encontrarmos os trajes dos nazistas. E, como nota Günther Stern, com ironia, é um judeu que encera suas botas. Porque é preciso cuidar bem de todas essas roupas! E, como qualquer empregado do Hollywood Palace, Günther Stern deve encerar as botas dos nazistas com tanto capricho como quando escova os coturnos dos gladiadores ou as sandálias dos chineses. Aqui, não há lugar para o drama real, é preciso que os trajes estejam prontos para as filmagens, para a grande representação do mundo. E eles estarão prontos; e são mais autênticos que os reais, mais exatos que aqueles expostos nos museus; réplicas perfeitas, nas quais não falta nem um botão, nem um fio, e que, como nas prateleiras das butiques, existem para todos os gabaritos. Mas essas roupas não devem ser somente réplicas inquestionáveis, devem também estar desgastadas, furadas ou sujas. E, claro, o mundo não é um desfile de moda, e o cinema deve construir a ilusão. Portanto, é preciso cultivar falsos rasgos, falsas manchas, falsas ferrugens. É preciso dar a impressão de que o tempo já passou.

Assim, muito antes que a batalha de Stalingrado acontecesse, antes que o plano da Operação Barbarossa fosse traçado, antes que fosse pensado, decidido; antes da campanha da França, antes mesmo que os alemães tivessem nutrido a menor ideia de executá-la, a guerra já estava lá, nas prateleiras do espetáculo. A grande máquina americana parece já ter se apossado de seu imenso tumulto. Ela só contará a guerra sob a forma de proeza. Fará dela um rendimento. Um tema. Um bom negócio. No fim das contas, não são nem os *Panzers*, nem os *Stukas*,[12] nem os Katyushas de Stalin[13] que refazem as coisas e as remodelam e as esmagam. Não. É lá, nessa Califórnia industriosa, entre alguns bulevares perpendiculares, na esquina de uma loja de conveniência e de um posto de gasolina,

---

12 Palavra alemã usada para definir um avião de bombardeiro de mergulho (N. T.).
13 "Órgãos de Stalin" eram as Katyushas, lançadores de múltiplos foguetes (N. T.).

que a densidade de nossa existência adota o tom das certezas coletivas. É lá, nos primeiros supermercados, em frente aos primeiros televisores, entre a torradeira e a calculadora, que o mundo se mostra em sua verdadeira cadência, que adotará em definitivo.

E, enquanto o Führer estava preparando seu ataque contra a França, enquanto seu Estado-maior estava repetindo as velhas fórmulas de Schlieffen e seus mecânicos ainda consertavam seus *Panzers*, Hollywood já tinha colocado seus trajes entre as prateleiras do passado. Eles estavam pendurados nos cabides do arquivo morto, dobrados e empilhados na prateleira das velharias. Sim, muito antes de a guerra começar, enquanto Lebrun, cego e surdo, lança seus decretos sobre a loteria, enquanto Halifax encena cumplicidades, e o povo alarmado da Áustria acredita ver seu destino na silhueta de um louco, os trajes dos militares nazistas já estão organizados na loja de acessórios.

A melodia da felicidade

Em 15 de março, em frente ao palácio imperial, por toda a extensão da praça, até sobre a grande estátua equestre de Carlos da Áustria, a multidão, a pobre multidão austríaca, abusada, malconduzida, mas finalmente consentindo, veio aclamar. Se erguermos os farrapos medonhos da História, encontraremos isto: a hierarquia contra a igualdade e a ordem contra a liberdade. Assim, perdida em uma ideia de nação mesquinha e perigosa, sem futuro, essa multidão imensa, frustrada por uma precedente derrota, estende o braço no ar. Lá, da sacada do palácio de Sissi, com uma voz terrivelmente estranha, lírica, inquietante, terminando seu discurso com um grito rouco e desagradável, Hitler. Ele vocifera em um alemão muito próximo da língua inventada mais tarde por Chaplin, feita de imprecações, e da qual distinguimos apenas algumas palavras esparsas, "guerra", "judeus", "mundo". Aqui, a multidão grita, ela é inumerável. Da sacada, o Führer acaba de declarar a *Anschluss*. As aclamações são tão unânimes, tão potentes, tão repentinas que podemos nos perguntar se não é sempre a mesma multidão que ouvimos nas notícias dessa época, a mesma trilha sonora. Porque são filmes que vemos, são documentários ou propagandas que nos apresentam essa história, foram eles que fabricaram nosso conhecimento íntimo; e tudo que pensamos está subordinado a esse panorama homogêneo.

Jamais poderemos saber. Não se sabe mais quem fala. Os filmes desse tempo se tornaram lembranças nossas por um sortilégio estarrecedor. A guerra mundial e seu preâmbulo se apossaram desse filme infinito em que não distinguimos mais o que é verdadeiro e o que é falso. E já que o Reich recrutou mais cineastas, montadores, *cameramen*, técnicos de som, contrarregras do que qualquer outro protagonista desse drama, podemos dizer que, até a entrada dos russos e dos americanos na guerra, as imagens que temos da guerra são, para a eternidade, uma montagem de Joseph Goebbels. A História se desenrola sob nossos olhos, como um filme de Joseph Goebbels. É extraordinário. As notícias alemãs se tornam o modelo da ficção. Assim, a *Anschluss* parece um sucesso prodigioso.

Mas as aclamações foram evidentemente acrescentadas às imagens: elas são, como dizem, pós-sincronizadas. E é mesmo possível que nenhuma das ovações insensatas durante a aparição do Führer tenham sido aquelas que ouvimos.

Eu os revi, esses filmes. Claro, não precisamos nos enganar, trouxeram militantes nazistas da Áustria inteira, prenderam os oponentes, os judeus, é uma multidão selecionada, purgada; mas eles estão lá, belos e formosos, os austríacos; não é apenas uma multidão de cinema. Elas estão lá, belas e formosas, essas moças com tranças louras, alegres, e esse pequeno casal que grita sorrindo. Ah, todos esses sorrisos! Esses gestos! As bandeirolas que se agitam na passagem do cortejo! Nem um tiro foi dado. Que tristeza!

Entretanto, nem tudo aconteceu como se previa; e "o melhor exército do mundo" acabava de mostrar que ainda não era nada além de um amontoado de metal, uma chapa moldada. Contudo, apesar de seu despreparo, apesar do material defeituoso, ainda que há pouco, o zepelim batizado Hindenburg tenha explodido antes de sua aterrissagem em Nova Jersey, e trinta e cinco passageiros tenham morrido ali, ainda que a maior parte dos generais da Luftwaffe até o momento não saiba quase nada sobre a aviação de caça, ainda que Hitler tenha tomado para si o comando militar supremo sem nenhuma experiência da coisa, as notícias daquele tempo dão o sentimento de uma máquina implacável. Vê-se ali, em planos sabiamente enquadrados, avançarem os blindados alemães no meio da multidão em festa. Quem poderia imaginar que eles tinham acabado de passar por uma pane gigantesca? O Exército alemão parece marchar pelo caminho da vitória, uma vitória bem simples, pavimentada com flores e sorrisos. O escritor Suetônio conta que Calígula, o imperador romano, tinha transportado suas legiões no Norte dessa maneira, e que, em um momento de agitação ou de êxtase, ele os tinha colocado em frente ao mar e tinha ordenado que catassem conchinhas. Pois bem, vendo as notícias francesas, tem-se a impressão de que os soldados alemães passaram o dia colhendo sorrisos.

Às vezes parece que algo que nos acontece já foi escrito em um jornal velho de muitos meses; é um sonho ruim que já tivemos. Assim, apenas seis meses mais tarde, seis meses depois da *Anschluss*, em 29 de setembro de 1938, estamos em Munique, para a célebre conferência. E como se os apetites de Hitler pudessem parar por lá, bradam pela Tchecoslováquia. As delegações francesa e inglesa vão à Alemanha. São bem acolhidas. No grande hall, o lustre ressoa, os pendentes de cristal, como esses carrilhões que o vento balança, tocam sua partitura aérea por cima dos bichos-papões. As equipes de Daladier e de Chamberlain tentam arrancar de Hitler concessões insignificantes.

Sobrecarregamos a História, afirmamos que ela poderia conferir certa pose aos protagonistas de nossos tormentos. Não veríamos jamais a barra suja, a toalha amarelada, o talão de cheques, a mancha de café. Só nos mostrariam o lado bom dos acontecimentos. Entretanto, se olharmos bem, na fotografia em que vemos Chamberlain e Daladier em Munique, logo antes da assinatura, ao lado de Hitler e Mussolini, os primeiros-ministros inglês e francês não parecem muito orgulhosos. Mas, ainda assim, eles assinam. Depois de atravessarem as ruas de Munique sob aclamações de uma imensa multidão que os acolhe com saudações nazistas, eles assinam. E nós os vemos, um, Daladier, chapéu na cabeça, um pouco incomodado, fazendo pequenos acenos, o outro, Chamberlain, *hat* na mão, com um grande sorriso. Esse incansável artesão da paz, como as notícias da época o chamam, sobe o início de uma escada, para a eternidade em preto e branco, entre duas filas de soldados nazistas.

Nesse instante, o comendador, inspirado, cochicha que os quatro chefes de Estado, Daladier, Chamberlain, Mussolini e Hitler, animados por um mesmo desejo de paz posam para a posteridade. A História faz comentários sobre a irrisória nulidade deles e lança um descrédito deplorável a todas as notícias por vir. Parece que em Munique teria nascido uma imensa esperança. Aqueles que dizem isso ignoram o sentido das palavras. Falam a língua do paraíso, dizem que lá todas as palavras são iguais. Um pouco mais tarde, Édouard Daladier, na Rádio Paris, mil seiscentos e quarenta e oito metros em ondas longas, depois de algumas notas de música, conta que está certo de ter salvado a paz na Europa. Ele não acredita em nada disso. "Ah! os tolos, se eles soubessem!", teria murmurado enquanto descia do avião face à multidão que o aclama. Nesse grande bazar de miséria, onde já se preparam os piores acontecimentos, um respeito misterioso pela mentira domina. As manobras anulam os fatos; e as declarações de nossos chefes de Estado logo desabarão como um telhado de zinco em uma tempestade de primavera.

Os mortos

A fim de consagrar a anexação da Áustria, organizou-se um referendo. Prenderam o que restava de oponentes. Do púlpito, os padres conclamaram o voto a favor dos nazistas, com as igrejas paramentadas com pavilhões e suas suásticas. Mesmo o antigo líder dos social-democratas convocou a votar pelo sim. Quase não houve voz discordante. Noventa e nove vírgula setenta e cinco por cento dos austríacos votaram pela anexação ao Reich. E, enquanto os vinte e quatro sujeitos do começo desta história, os padres da grande indústria alemã, já estavam planejando o desmonte do país, Hitler tinha feito o que se pode chamar de uma turnê triunfal pela Áustria. Na ocasião desses encontros fantásticos, ele foi aclamado em todos os lugares.

Ainda assim, logo antes da *Anschluss*, houve mais de mil e setecentos suicídios em uma só semana. Em breve, anunciar um suicídio na imprensa se tornará um ato de resistência. Alguns jornalistas ousarão ainda escrever "morte súbita"; as represálias farão que eles se calem rapidamente. Procurarão outras fórmulas comuns, sem consequência. Assim, o número de pessoas que puseram fim a seus dias continua desconhecido, e seus nomes, ignorados. No dia seguinte à anexação, ainda era possível ler no jornal *Neue Freie Presse* quatro necrológios: "Em 12 de março, de manhã, Alma Biro, funcionária pública, 40 anos, cortou os pulsos com navalha, antes de abrir o gás. No mesmo momento, o escrivão Karl Schlesinger, 49 anos, deu um tiro na própria têmpora. Uma zeladora, Helene Kuhner, 69 anos, suicidou-se também. À tarde, Leopold Bien, funcionário público, 36 anos, jogou-se pela janela. Ignoram-se as razões de seu ato". Essa pequena nota banal é vergonhosa. Porque, em 13 de março, ninguém pode ignorar as razões deles. Ninguém. Não se deve, aliás, falar de razões, mas de uma única causa.

Alma, Karl, Leopold ou Helene talvez tenham visto, da janela, esses judeus sendo arrastados pelas ruas. Bastou entrever aqueles cujos crânios foram raspados para compreender. Bastou entrever aquele homem em cujo occipital os passantes tinham pintado uma cruz tau, aquela dos cruzados, que, uma hora antes, ainda era usada pelo chanceler Schuschnigg no avesso do paletó. Bastou até que tenham lhes dito, para que eles adivinhassem, calculassem, imaginassem antes mesmo que aquilo acontecesse. Bastou ver as pessoas sorrirem para saber.

 E pouco importa que nessa manhã Helene tenha visto ou não, entre a multidão vociferante, os judeus abaixados, de quatro, forçados a limpar as calçadas sob o olhar divertido dos passantes. Pouco importa que ela tenha ou não assistido às cenas ignóbeis nas quais os fizeram comer grama. Sua morte traduz somente o que ela sofreu, a grande infelicidade, a realidade repugnante, seu desgosto por um mundo que ela viu se desenvolver em sua nudez assassina. Porque, no fundo, o crime já estava lá, nas bandeirinhas, nos sorrisos das moças, em toda essa primavera perversa. E até nos risos, nesse fervor desencadeado, Helene Kuhner deve ter sentido ódio e prazer. Deve ter pressentido – em um rapto aterrorizante – atrás dessas milhares de silhuetas, de rostos, milhões de escravos. E ela adivinhou, atrás da alegria assustadora, a pedreira de granito de Mauthausen. Então, ela se viu morrer. No sorriso das moças de Viena, em 12 de março de 1938, em meio aos gritos da multidão, em meio ao odor fresco dos miosótis, no coração desta festa bizarra, de todo esse fervor, ela deve ter vivenciado uma aflição sombria.

Serpentinas, adereços, bandeirinhas. O que elas se tornaram, essas moças loucas de entusiasmo, o que aconteceu com o sorriso delas? Sua despreocupação? Seus rostos tão sinceros, tão alegres! Todo esse júbilo de março de 1938? Se uma delas hoje de repente se reconhecer na tela, em que ela pensará? O verdadeiro pensamento é sempre secreto, desde a origem do mundo. Pensa-se por apócope, em apneia. Embaixo, a vida escorre como uma seiva, lenta, subterrânea. Mas agora que as rugas roeram sua boca, irisaram suas pálpebras, emudeceram sua voz – o olhar errante na superfície das coisas, entre a televisão que cospe suas imagens de arquivos e o iogurte, enquanto a enfermeira se ocupa em torno dela sem saber de nada, muito longe da guerra mundial, as gerações se sucedendo como se revezam as sentinelas na noite negra –, como separar a juventude que vivemos, o odor de fruta, essa ascensão de seiva de tirar o fôlego, do horror? Eu não sei. E na sua casa de repouso, entre o leve odor de éter e de tintura de iodo, em sua fragilidade de passarinho, será que a velha criança enrugada que se reconhece nesse pequeno filme, no retângulo frio do televisor, ela que ainda está viva, depois da guerra, das ruínas, da ocupação americana ou russa, suas sandálias gemendo no linóleo, suas mãos mornas cobertas de manchas caindo lentamente dos braços da cadeira quando a enfermeira abre a porta, será que ela às vezes suspira, tirando as lembranças terríveis de seu formol?

Alma Biro, Karl Schlesinger, Leopold Bien e Helene Kuhner não viveram tanto tempo. Antes de se jogar pela janela, em 12 de março de 1938, Leopold devia ter se defrontado muitas vezes com a verdade e, em seguida, com a vergonha. Ele também não era austríaco? E não tinha tido que suportar as facécias grotescas do nacional-catolicismo durante anos? Naquela tarde, quando dois nazistas austríacos bateram à sua porta, o rosto do jovem pareceu repentinamente muito velho. Já fazia algum tempo que ele procurava palavras novas, apartadas da autoridade e de sua violência; não encontrava mais. Vagava dias inteiros pelas ruas, com medo de encontrar um vizinho malvado, um antigo colega que desviasse o olhar. A vida que ele amava não existia mais. Não tinha sobrado nada: nem os escrúpulos do trabalho, que ele encontrava algum prazer em fazer bem-feito, nem a refeição frugal do meio-dia, um lanche sobre os degraus de um velho imóvel olhando os passantes. Tudo tinha sido destruído. Então, nessa tarde de 12 de março, quando a campainha tocou, seus pensamentos se envolveram em névoa, ele ouviu um instante aquela vozinha interior que sempre escapa das longas intoxicações da alma; abriu a janela e pulou.

* * *

Em uma carta a Margarete Steffin, com uma ironia febril à qual o tempo e as revelações do pós-guerra dão algo de indefensável, Walter Benjamin conta que de repente cortaram o gás dos judeus de Viena; seu consumo gerava perdas para a companhia. É que os consumidores que mais gastavam eram justamente aqueles que não pagavam as faturas, acrescenta. Nesse instante, a carta que Benjamin endereça a Margarete toma uma direção estranha. Não temos certeza se entendemos bem. Hesitamos. Seu significado paira entre os ramos, sob o céu pálido, e quando fica claro, subitamente formando uma pequena nesga de sentido no meio do nada, ele se torna um dos mais loucos e mais tristes de todos os tempos. Porque, se a companhia austríaca se recusava agora a fornecer para os judeus, é porque eles se suicidavam de preferência com gás e deixavam suas faturas por pagar. Eu me perguntei se isso era verdade – o tempo inventa tantos horrores, por um pragmatismo insensato – ou se era somente uma brincadeira, uma brincadeira terrível, inventada à luz de velas funestas. Mas, se era uma brincadeira das mais amargas ou uma realidade, o que importa; quando o humor se inclina a tanta escuridão, ele diz a verdade.

Em uma adversidade assim, as coisas perdem seu nome. Elas se distanciam de nós. E não podemos mais falar de suicídio. Alma Biro não se suicidou. Karl Schlesinger não se suicidou. Leopold Bien não se suicidou. E Helene Kuhner, tampouco. Nenhum deles. Sua morte não pode ser identificada na narrativa misteriosa de suas próprias infelicidades. Não se pode nem dizer que eles tenham escolhido morrer dignamente. Não. Não é um desespero íntimo que os devastou. Sua dor é uma coisa coletiva. E seu suicídio é o crime de outra pessoa.

Mas quem são todas essas pessoas?

Às vezes uma palavra é suficiente para congelar uma frase, para nos fazer mergulhar em não sei qual sonho; o tempo, particularmente, não é sensível. Ele continua sua peregrinação, imperturbável no meio do caos. Assim, na primavera de 1944, Gustav Krupp, um dos padres da indústria que, logo no início desta história, vimos entregar esmola aos nazistas e sustentar o regime em seus primeiros momentos, jantava em companhia de sua esposa, Bertha, e de seu filho mais velho, Alfried, o herdeiro do *Konzern*. Era seu último momento na Vila Hügel, o enorme palácio onde sempre tinham vivido e onde o poder estava encarnado. Nesse momento, a aventura tomava uma direção ruim. Os exércitos alemães recuavam de todos os lugares. Era necessário se limitar a abandonar a área e se mudar para as montanhas, longe de Ruhr, em Blühnbach, lá onde as bombas não os atingiriam, na paz fria e branca.

De repente, o velho Gustav se levantou. Fazia muito tempo que tinha sucumbido a uma imbecilidade sem retorno. Incontinente e senil, estava em silêncio havia anos. Entretanto, nessa noite, no meio da refeição, se endireitou bruscamente e, segurando o guardanapo contra si com um gesto cheio de medo, estendeu um longo dedo magro para o fundo da sala, para além de seu filho, e resmungou:

— Mas quem são todas essas pessoas?

Sua esposa se voltou para ele, seu filho virou o rosto. Tiveram muito medo. O canto estava mergulhado na sombra. Parecia que a obscuridade se mexia, que silhuetas rastejavam lentamente na escuridão. Mas não eram os fantasmas da Vila Hügel que o congelavam de medo. Não, não eram nem as lâmias nem as larvas, eram homens de verdade, com rostos de verdade que o encaravam. Ele viu olhos enormes, figuras saíam das trevas. Desconhecidos. Ele sentiu um medo atroz. Ficou em pé, petrificado. Os empregados se imobilizaram. As cortinas pareciam de gelo. E ele teve a impressão de ver de verdade, de jamais ter visto tanto como nesse minuto. E o que ele viu, o que se ergueu lentamente da sombra, eram dezenas de milhares de cadáveres, os trabalhadores forçados, aqueles que a SS tinha fornecido para suas fábricas. Eles saíam do nada.

Durante anos ele tinha alugado deportados em Buchenwald, em Flossenbürg, em Ravensbrück, em Sachsenhausen, em Auschwitz e em muitos outros campos. A expectativa de vida deles era de alguns meses. Se o prisioneiro escapava das doenças infecciosas, morria literalmente de fome. Mas Krupp não foi o único a alugar tais serviços. Seus comparsas da reunião de 20 de fevereiro aproveitaram também; atrás das paixões criminais e das gesticulações políticas, seus interesses se encontravam. A guerra tinha sido rentável. A Bayer arrendou mão-de-obra em Mauthausen. A BMW contratava em Dachau, em Papenburg, em Sachsenhausen, em Natzweiler--Struthof e em Buchenwald. A Daimler, em Schirmeck. A IG Farben recrutava em Dora-Mittelbau, em Gross-Rosen, em Sachsenhausen, em Buchenwald, em Ravensbrück, em Dachau, em Mauthausen, e explorava uma fábrica gigantesca no campo de Auschwitz: a IG Auschwitz, que com todo cinismo colocou esse nome no organograma da firma. A Agfa recrutava em Dachau. A Shell, em Neuengamme. A Schneider, em Buchenwald. A Telefunken, em Gross-Rosen e a Siemens, em Buchenwald, em Flossenbürg, em Neuengamme, em Ravensbrück, em Sachsenhausen, em Gross-Rosen e em Auschwitz. Todo mundo tinha se aproveitado de uma mão de obra muito barata. Não é, portanto, Gustav que alucina nessa noite, no meio de sua refeição de família, Bertha e seu filho é que não querem enxergar nada. Porque eles estão bem ali, na sombra, todos esses mortos.

De uma chegada de seiscentos deportados, em 1943, nas fábricas Krupp, um ano mais tarde não restavam mais que vinte. Um dos últimos atos oficiais de Gustav, antes de ceder as rédeas a seu filho, foi a criação da Berthawerk, uma fábrica concentracionária com o nome de sua esposa, que deveria ser um tipo de homenagem. Ali se vivia preto de sujeira, infestado de piolhos, andando cinco quilômetros tanto no inverno como no verão em simples galochas, para ir do campo à fábrica e da fábrica ao campo. Ali se acordava às quatro e meia, ladeado por guardas SS e cachorros treinados, ali se era espancado, torturado. Quanto à refeição da noite, durava às vezes duas horas; não que alguém demorasse para comer, mas porque era preciso esperar; não havia tigelas suficientes para servir a sopa.

Agora, voltemos por um breve instante ao começo desta história e olhemos para eles novamente, todos em volta da mesa, os vinte e quatro. Diriam que era uma reunião qualquer de chefes de empresa. São os mesmos casacos, as mesmas gravatas escuras ou listradas, os mesmos lenços de lapela de seda, os mesmos óculos banhados a ouro, as mesmas cabeças carecas, os mesmos rostos razoáveis como os de nossos dias. No fundo, a moda não mudou muito. Daqui a algum tempo, no lugar da Insígnia de Ouro, alguns usarão orgulhosamente a Cruz Federal do Mérito, como na França usam a Legião de Honra. Os regimes os honram da mesma maneira. Olhemos para eles enquanto esperam, no dia 20 de fevereiro, calmamente, razoavelmente, enquanto o diabo passa logo atrás deles, na ponta dos pés. Eles conversam; seu pequeno concílio é de fato parecido com centenas de outros. Não devemos acreditar que tudo isso pertence a um passado distante. Não são monstros antediluvianos, criaturas piedosamente desaparecidas nos anos 1950, sob a miséria pintada por Rossellini, levadas às ruínas de Berlim. Esses nomes ainda existem. Suas fortunas são imensas. Suas sociedades foram por vezes fundidas e formam conglomerados extremamente poderosos. No site do grupo Thyssen-Krupp, um dos líderes mundiais do aço, cuja sede ainda fica em Essen e cujas palavras de ordem hoje são suavidade e transparência, encontra-se uma notinha sobre os Krupp. Gustav não apoiou ativamente Hitler antes de 1933, ela nos informa, mas uma vez que este foi nomeado chanceler, foi leal ao seu país. Só se tornou membro do partido nazista em 1940, precisamente, para seu aniversário de setenta anos. Profundamente apegados às tradições sociais da companhia,

Gustav e Bertha não deixaram, fosse como fosse, de manter viva aquela que consistia em visitar seus empregados mais fiéis quando de suas bodas de ouro. E a biografia termina com uma anedota tocante: durante muitos anos, Bertha, cheia de devoção, cuidou de seu marido inválido em uma pequena construção ao lado de sua residência de Blühnbach. Não menciona as usinas concentracionárias nem os trabalhadores forçados, nem nada.

Durante seu último jantar na Vila Hügel, uma vez passado o medo, Gustav se sentou de novo tranquilamente em seu lugar *e os rostos voltaram para a sombra*. Saíram dali mais uma vez, em 1958. Os judeus do Brooklyn exigiram uma reparação. Gustav tinha oferecido, sem hesitar, quantias astronômicas aos nazistas desde a reunião de 20 de fevereiro de 1933, mas agora seu filho, Alfried, se mostrava menos pródigo. Ele, que clamava que os ocupantes tratavam os alemães "como negros", se tornará, no entanto, um dos homens mais poderosos do Mercado Comum Europeu, o rei do carvão e do aço, o pilar da paz europeia. Antes de decidir pagar indenizações, arrastou as negociações por dois longos anos. Cada sessão com os advogados do *Konzern* era pontuada de observações antissemitas. De qualquer forma, chegaram a um acordo. Krupp se comprometeu a pagar mil duzentos e cinquenta dólares a cada sobrevivente, o que era bem pouco como acordo demissionário. Mas o gesto de Krupp foi saudado unanimemente pela imprensa. Isso inclusive lhe deu uma notável publicidade. Logo, à medida que os sobreviventes se declaravam, a soma alocada a cada um ficava mais magra. Passou para setecentos e cinquenta dólares, depois para quinhentos. Enfim, quando outros deportados se manifestaram, o *Konzern* lhes informou que infelizmente não estava mais em condições de efetuar pagamentos voluntários: *os judeus tinham custado muito caro.*

Nunca se cai duas vezes no mesmo abismo. Mas se cai sempre da mesma maneira, em uma mistura de ridículo e terror. E deseja-se tanto não cair de novo que se escora, berrando. Com os calcanhares, nos quebram os dedos, com os bicos nos arrebentam os dentes, roem-nos os olhos. O abismo é cercado de mansões. E a História está lá, deusa razoável, estátua colocada no meio da place des Fêtes, recebendo como tributo, uma vez por ano, buquês secos de peônias e, à guisa de esmola, todos os dias, pão para os passarinhos.

**Acreditamos
nos livros**

Este livro foi composto em Utopia Std
e impresso pela Gráfica Santa Marta para a
Editora Planeta do Brasil em março de 2020.